LE DERNIER AMOUR DE DIANA

KATE SNELL

LE DERNIER AMOUR DE DIANA

traduit de l'anglais par
Caroline Sers et Joseph Antoine

ARCHIPOCHE

Ce livre a été publié sous le titre
Diana, Her Last Love
par Granada Media Group, Londres, 2000.

www.archipoche.com

Si vous désirez recevoir notre catalogue
et être tenu au courant de nos publications,
envoyez vos nom et adresse, en citant
ce livre, aux Éditions Archipoche,
34, rue des Bourdonnais 75001 Paris.
Et, pour le Canada, à
Édipresse Inc., 945, avenue Beaumont,
Montréal, Québec, H3N 1W3.

ISBN 978-2-35287-550-5

En mémoire de mon père.

Avant-propos

« Où étiez-vous au moment de l'attentat dont fut victime Kennedy ? »

L'assassinat du président américain, le 22 novembre 1963, a été l'un de ces faits qui marquent une génération. Aujourd'hui encore, l'événement garde chez les Américains une résonance extraordinaire. Dix-sept ans plus tard, le 8 décembre 1980, la mort de l'ancien Beatles John Lennon a suscité les mêmes questions, le même sentiment de vivre la fin d'une époque.

Mais aucun événement n'a encore provoqué à travers le monde un choc collectif et un chagrin similaires à ceux soulevés par le décès tragique, le 31 août 1997, de la princesse de Galles, Lady Diana.

« Où étiez-vous lorsque vous avez appris la mort de la princesse Diana ? »

On savait quel homme était John Kennedy. On connaissait le talent de John Lennon. Leur mort prématurée les a fait entrer dans l'histoire mais n'a pas éclairé leur vie d'un jour nouveau. Avant l'accident de voiture qui coûta la vie à Diana, la plupart des gens à travers le monde avaient une opinion sur elle. Au moment où l'on a appris sa mort, un processus de reconstruction de sa vie a commencé. On la pensait éternelle, et voilà qu'elle était partie. Une fois le choc passé, on a porté un regard nouveau sur son existence. On a alors pris conscience qu'on ne la connaissait quasiment pas.

Inévitablement, et presque aussitôt, les théoriciens du complot ont accouru. C'était le syndrome Marilyn Monroe revisité, et sans doute ce fantasme refera-t-il régulièrement surface au fil des années. La plupart des gens, cependant, ne veulent pas ruminer sans fin les circonstances de sa mort, mais préfèrent en connaître davantage sur son étonnante vie.

Imprégnée par l'opinion journalistique dominante, je n'ai jamais rencontré Diana ni réalisé de film sur elle de son vivant. Nous avions tous de meilleurs sujets d'enquête qu'une femme généralement considérée comme « bizarre ». Je me suis évidemment rattrapée au cours de ces dernières années.

Où étais-je quand j'ai appris la nouvelle ? En pleine lune de miel dans un village au cœur de l'Indonésie. Il était environ midi, heure locale, quand une clameur a surpris tout le monde. Les Indonésiens étaient regroupés autour d'un petit poste de radio d'où s'échappait une langue que je ne comprenais pas. Le seul mot que j'arrivais à capter était « Diana », répété encore et encore. « Mais que se passe-t-il ? » avons-nous tous demandé. « Diana, morte ! » C'était à peu près tout ce que leur connaissance des langues étrangères leur permettait de dire. Nous avons pensé qu'ils devaient faire erreur. Alors que les heures passaient, chacun allait aux nouvelles. C'était ahurissant. De vieilles femmes sanglotaient au milieu de leur champ de riz, dans les restaurants et les bars, chacun était abasourdi. Sur cette île de Bali, tout le monde se souvenait de la visite de Diana en août 1993. Il leur semblait, comme au reste du monde, que Diana leur appartenait.

Durant la semaine suivante, notre seul « réconfort » a été de regarder tous les reportages sur la tragédie, diffusés sur la BBC, CNN et une douzaine d'autres chaînes du monde entier. J'avais le sentiment diffus que mon devoir de journaliste était de rentrer à Londres afin d'« aider ». Mais qu'aurais-je bien pu faire ? Simplement méditer sur ce choc personnel en décryptant la tragédie. À mon retour, je suis allée sans attendre à Kensington Palace contempler l'amoncellement de fleurs déposées là en hommage à Diana, et prendre la mesure de cette sensation physique de la perte partagée.

Au fil du temps, des films et des livres ont été consacrés à Diana. Nous pensions comprendre qui elle avait été. Sa mort semblait clairement expliquée.

En mai 1999, une maison de production, London Weekend Television, m'a demandé de réaliser un film sur elle. Je n'étais pas persuadée qu'il y eût encore des choses à dire sur le sujet. Les mois suivants, j'ai rencontré nombre de personnes qui avaient été proches de Diana à différentes époques de sa vie et, peu à peu, m'est apparue une femme très différente de celle que je pensais connaître. Au fil du temps, ma fascination s'est doublée d'admiration. J'avais le sentiment de percevoir ce qui se cachait derrière la façade, ce qui l'animait et la hantait.

Certains de ses amis, assez gentils pour me consacrer une grande partie de leur temps lorsque je préparais ce film, m'ont suggéré de consigner également ce que je découvrais dans un livre. Peu après, Granada Media, la maison mère de London Weekend Television, m'a fait la même proposition. Mon voyage à la découverte de Diana allait donc se poursuivre.

Plusieurs questions se posaient, et pas des plus simples – pour n'en citer que deux : n'allais-je pas faire preuve d'indiscrétion ? Quel serait l'impact de mes révélations sur les fils de Diana ? J'en suis finalement venue à la conclusion que le livre pourrait permettre une relecture d'événements clés. Un nouvel éclairage sur les dernières semaines de Diana aiderait finalement à rétablir la vérité et à pourfendre certains mythes qui courent encore à propos de sa mort.

Quand on demande aux gens de citer les principaux moments de la vie de Diana, ils évoquent tous son mariage avec Charles, la naissance de ses fils, la boulimie, les automutilations, son divorce, ses sentiments envers Camilla Parker Bowles, les vacances, James Hewitt, les mines antipersonnel, les couvertures de magazines, Dodi et leur fin tragique. Une vie résumée en douze instantanés, dont plusieurs sont malheureux. La femme qui se dessine à travers ces images semble monolithique. J'avais le sentiment qu'il devait y avoir autre chose. Et je ne me trompais pas, qu'il s'agisse des événements ou de la véritable personnalité de Diana.

La période de sa vie allant de 1992 à 1997 n'a pas été étudiée d'aussi près que les années de son mariage avec Charles, et nombre de détails n'ont pas été évoqués. Ensuite, l'attention a surtout été portée sur les événements marquants de son existence plutôt que sur les éléments constitutifs de sa personnalité. Elle n'était pas seulement la princesse timide ou la femme au cœur brisé. Diana pouvait rire – elle avait un sens de l'humour aigu – et était bien plus intelligente que beaucoup ne le pensaient. Elle se plongeait dans des ouvrages de médecine complexes ou dans des études sur la religion aussi facilement qu'elle dévorait les romans de Barbara Cartland ou de Danielle Steel.

Plus important encore, peut-être, on commence à l'admirer d'avoir surmonté toutes les épreuves que la vie lui a fait subir. Jeune fille ayant épousé un homme qui ne l'aimait pas – ce qui l'a rapidement fait sombrer dans la boulimie et l'a conduite à s'automutiler –, elle est devenue une femme capable d'attirer l'attention des gouvernements sur le problème des mines antipersonnel. D'où a-t-elle tiré cette force ? J'ai eu envie de comprendre comment la jeune femme blessée s'était muée en combattante courageuse.

On se rend vite compte, en se penchant sur son cas, que le besoin d'amour était son moteur, comme l'est la quête de pouvoir ou l'argent pour d'autres. Pour Diana, l'amour était fondamental. Il ne fait aucun doute qu'elle était profondément amoureuse de Charles. C'était son premier amour et il est resté une figure centrale de sa vie. Mais elle savait qu'il ne l'aimait pas, et elle avait autant besoin d'être aimée que d'aimer en retour. Charles et Diana ont fini par découvrir l'amitié qui les liait, et cette amitié aurait sûrement grandi si elle en avait eu le temps.

En y regardant de plus près, Diana ne cherchait pas seulement à tomber amoureuse. C'était bien plus complexe que cela. Il lui fallait un mari, une famille et le sentiment d'être aimée pour elle-même. Il lui fallait aussi être sûre de disposer de l'amour du public. Sans tout cela, elle était perdue.

Dans la mesure où cet ouvrage se concentre sur la période comprise entre 1992 et 1997, une grande attention est portée aux sentiments nourris par Diana envers le Dr Hasnat Khan, un cardiologue pakistanais installé à Londres. Après Charles, Khan a indubitablement été l'amour de sa vie. Non seulement lui, mais aussi sa famille, que la princesse a appris à connaître et à apprécier. De mon point de vue, Diana l'aimait également pour tout ce qu'il lui apportait. Voilà pourquoi c'est leur histoire qui est ici racontée.

Prologue

Mai 1997, Lahore, Pakistan

Le dôme de la mosquée Badshahi, comme chauffé au rouge par les derniers rayons du couchant, éblouit tous ceux qui se risquent à le regarder. Alors que le jour s'efface devant le crépuscule, les voix lancinantes des muezzins résonnent au-dessus des toits, appelant les fidèles à la prière. Dans toute la ville renaît alors ce rituel qui voit des milliers de musulmans s'agenouiller face à La Mecque.

L'été atteint son point culminant à Lahore, jadis centre de l'Empire moghol, aujourd'hui cœur de la culture pakistanaise. Ici, quand vient le soir, la température dépasse les quarante degrés et la moiteur de l'air est palpable.

Quelque part dans la banlieue la plus chic de cette métropole, par ailleurs misérable et dure, deux serviteurs poussent péniblement les battants d'une large porte en fer forgé, découvrant la façade jaune pâle d'une demeure coloniale de trois étages. Une voiture japonaise – une Toyota Corolla noire – quitte la route et s'extrait d'une circulation dense pour se glisser dans l'allée de pierre au tracé incurvé. Elle est conduite par une Pakistanaise, la sœur d'un des hommes politiques les plus importants du pays, en même temps qu'un de ses plus grands sportifs.

La voiture ralentit. Elle s'arrête devant la maison. Ses portières s'ouvrent. Une femme en descend, vêtue de la robe traditionnelle du pays – un riche *shalwar kameez*[1] de couleur bleue. Mais seule sa toilette évoque le Pakistan. Le reste appartient à un autre univers, à un monde lointain ; cette femme est grande, blonde, européenne.

Des yeux attentifs ont remarqué l'arrivée de la visiteuse et, dans la rue, se répand une animation fébrile. Il n'y a là rien d'étonnant puisque cette femme est l'une des plus célèbres au monde. Elle, en revanche, n'a pas vu toutes ces têtes tournées vers elle. Ses pensées sont ailleurs. Elle est nerveuse. Elle se sent affreusement seule. Elle sait cependant qu'elle devra dominer ses sentiments si elle veut mener à bien sa mission. C'est pourquoi ceux qui l'observent la trouvent calme, maîtresse d'elle-même et détendue.

Elle s'apprête pourtant à jouer une partie qui pourrait être la plus importante de sa vie. Et elle ne s'y sent pas préparée, quand bien même elle s'oppose depuis quinze ans à l'une des dynasties les plus puissantes de la planète.

De l'autre côté de la lourde porte en bois, une famille s'est réunie pour la recevoir, représentée par ses onze membres les plus vénérables. Que cette femme soit une princesse ne change rien à l'affaire. Ils estiment que leur devoir est de la mettre à l'épreuve, car tel est, pour eux, l'objet de cette rencontre. La porte s'ouvre.

« Bonjour ! Je suis Diana. »

1. Vêtement traditionnel pakistanais composé d'une tunique large et d'un pantalon. *(N.d.T.)*

On la présente à tous les membres de la famille. Diana connaît déjà chaque nom. Elle a bien appris sa leçon. Il n'y a qu'un absent ce soir : l'homme qu'elle aime, celui qui a organisé cette visite.

À présent, le soleil s'est couché. Une coupure d'électricité plonge soudain la ville dans l'obscurité. Le phénomène est fréquent à Lahore. Mais il n'est pas du meilleur augure pour une soirée de cette importance.

En temps normal, la famille aurait attendu le retour du courant sans trop s'en faire mais, vu les circonstances, un garçon est envoyé au marché avec mission d'acheter des bougies. Chose étrange, celles-ci ne semblent pas particulièrement recherchées en pareil cas. Il fait sombre, le marchand ne sait plus où il les a rangées. Le temps que le garçon revienne les mains vides, la famille a déménagé avec son invitée dans le vaste jardin entouré de murs. Tout le monde s'est assis sur la pelouse, sous les eucalyptus, les bananiers et les jasmins ; et le bruit des voix se mêle à la cacophonie atonale de centaines de cigales. On a donné leur soirée aux serviteurs et les enfants ont reçu l'ordre de rester à l'intérieur, car cette réunion ne concerne que les adultes.

Tandis que chacun s'efforce de trouver une position confortable dans les fauteuils incommodes, par ailleurs sculptés avec un goût exquis, une tante sert le thé dans un service anglais. Au premier étage, les enfants cachés derrière les rideaux glissent vers la pelouse des regards furtifs, curieux de suivre ce qui se trame.

On y raconte de vieilles histoires familiales, comme toujours quand le clan se retrouve.

La princesse accepte le thé, mais évite de manger.

Chacun est sous son charme. Diana a le sentiment d'avoir d'ores et déjà gagné les anciens de la famille à sa cause. En tout cas, elle pense avoir leur assentiment pour le mariage. Maintenant, il lui faut concentrer ses efforts sur la seule femme de l'assemblée qu'elle doit impressionner favorablement si elle veut parvenir à épouser l'homme de ses rêves. Elle sait que l'avis d'une mère est important, primordial même.

Toute sa vie, Diana a cherché l'amour. Si tout se passe bien ce soir, elle devrait être en mesure d'obtenir l'engagement de l'homme qu'elle aime…

PREMIÈRE PARTIE

LA VRAIE DIANA

Pour comprendre ce qui amena Diana au Pakistan en mai 1997, et les événements qui marquèrent son dernier été, il est nécessaire de revenir sur les principaux chapitres de sa vie, et d'examiner avec soin sa personnalité, en particulier son besoin et sa quête d'amour, si fondamentaux qu'ils la guidèrent dans tous ses choix.

1

« Je n'ai pas été désirée »

« Allons jouer dans la cabane », s'écrie la nurse. Les yeux de Diana Spencer s'éclairent à cette perspective. Immédiatement, la petite fille part au trot vers la grande cuisine au style rustique avec sa cuisinière Aga, à la recherche de la maîtresse des lieux. Elle demande à la grisonnante et corpulente Mme Smith des assiettes, des tasses, des casseroles et autres ustensiles, avant de fuir vers les bois de Park House avec sa batterie de couverts et de vaisselle cachés au fond d'un panier en osier.

Son petit frère Charles considère le lieu comme l'endroit idéal pour jouer aux cow-boys et aux Indiens, dans une atmosphère de Far West nourrie de feux de camp et de barbecues. Diana, de son côté, a un point de vue plus pratique : elle veut faire de la cabane une vraie maison. Son ancienne nounou, Mary Clarke, se souvient de l'enthousiasme avec lequel Diana s'est mise au travail, s'ingéniant à aménager le petit intérieur de la manière la plus parfaite. De cet instantané de l'enfance de Diana, on peut tirer un enseignement : dès son plus jeune âge, elle a voulu construire un foyer heureux, où elle aurait vécu avec un mari aimant et, bien sûr, une grande famille.

C'est un thème qui reviendra tout au long de sa vie.

Park House est une triste demeure en pierre grise du Norfolk, située à Sandringham, sur le domaine de la reine. Terne, massive et presque petite vue de l'extérieur, la maison est bien différente à l'intérieur. Les plafonds sont hauts, les pièces vastes et, du temps où Diana y vivait, elle comptait dix chambres.

La demeure du XIXe siècle fut acquise par sa famille maternelle. George V en octroya le bail au grand-père maternel de Diana, Maurice, quatrième baron Fermoy, un ami de son fils, le duc d'York. La propre mère de Diana, Frances Burke Roche, grandit sur la propriété, la famille de son père étant quant à elle installée à Althorp House, dans le Northamptonshire.

Ce domaine imposant recèle un grand nombre de richesses accumulées par la famille de Diana au cours des siècles. L'origine de la fortune du clan remonte au XVe siècle, époque où les Spencer se livraient au commerce de moutons. Pendant des centaines d'années, les membres de la famille ont joui de positions privilégiées à la cour. Le propre père de Diana fut écuyer du roi George VI et de la reine Élisabeth II.

Les parents de Diana se sont mariés à l'abbaye de Westminster en juin 1954 et, après un bref séjour sur le domaine d'Althorp, se sont installés à Park House, reprenant le bail des parents de Frances. C'est là, dans la pièce qui est devenue par la suite la chambre de ses parents, que Diana a vu le jour, le 1er juillet 1961.

Sa naissance fut saluée par des applaudissements et un soleil éclatant. C'était un jour d'été, ensoleillé et chaud, sentant bon le gazon fraîchement tondu. Pour compléter le tableau, l'équipe de cricket de Sandringham jouait non loin, sur le terrain local.

Au moment même où Diana est venue au monde, une clameur spontanée et un tonnerre d'applaudissements se sont élevés. Ils étaient en fait destinés à un joueur de cricket qui venait de marquer une centaine[1] pour son équipe, mais ont résonné comme un bon présage pour la famille de la future princesse.

Les descriptions de l'enfance de Diana, pleine de rires et de divertissements, peuvent sembler idylliques. Elle effectuait de longues promenades dans les bois avec les chiens, dans une campagne magnifique où elle avait tout le loisir de rêver. Elle était également entourée d'amis chez qui elle pouvait se rendre au retour de l'école. Derrière la maison se trouvait une piscine où elle adorait nager et particulièrement plonger – discipline dans laquelle elle est devenue experte. Elle aimait aussi jouer la comédie, et les leçons qu'elle a prises l'ont certainement marquée. Diana étonnait souvent son entourage en se lançant dans des récits solennels qui attiraient l'attention sur elle.

Mais si son enfance est décrite comme heureuse et saine, selon les critères classiques, ce n'est pas l'image que Diana en a donné parvenue à l'âge adulte, du moins dans les récits qu'elle en a faits à des amis proches. Dans son esprit, comme elle l'a raconté à ses confidents, elle a vécu une enfance malheureuse, se sentant seule et abandonnée.

En septembre 1967, ses deux sœurs aînées, Sarah et Jane, sont entrées à l'école primaire à West Heath,

---

1. Au cricket, on compte les points marqués par chaque batteur dès lors qu'il a touché la balle. Marquer cent points – une centaine – dans une manche est assez rare. *(N.d.T.)*

dans le Kent. Peu de temps après, les parents de Diana ont décidé de se séparer et Frances a quitté la maison. Comme les deux aînées n'étaient pas là, tout le poids en est retombé sur les épaules des cadets.

Le départ de sa mère a été une période cruciale de la vie de Diana. Quand Frances s'est séparée de son mari, elle est d'abord partie avec les enfants pour s'installer dans un appartement à Chelsea, au cœur de Londres. Mais à Noël 1967, lors d'un séjour chez leur père, Johnnie Spencer leur a annoncé qu'il les avait inscrits dans une école près de King's Lynn, la Silfield School, afin qu'ils restent avec lui à Park House.

Diana a raconté à plusieurs de ses amis deux souvenirs particulièrement terribles de cette période. Tout d'abord, elle gardait intact en mémoire le bruit des pas de sa mère sur le gravier de l'allée quand celle-ci quitta la maison. Et elle se rappelait aussi avoir regardé sa mère ranger ses robes de soirée dans la voiture avant de franchir le portail et de mettre ainsi fin à son mariage.

Plus tard, elle a confié à des amis, telle l'astrologue Debbie Frank, de quelle manière, durant des années, elle était revenue s'asseoir sur les marches du perron dans l'espoir de voir sa mère revenir. «Je crois que ce souvenir d'être assise sur les marches tandis que sa mère rangeait ses vêtements est indélébile. C'est une image forte et poignante pour Diana», explique aujourd'hui Debbie Frank.

Des quatre enfants Spencer, Diana semble avoir été la plus affectée par la séparation de ses parents. Cela est dû en partie à son âge – elle n'avait que six ans, alors que ses sœurs, Sarah et Jane, en avaient respectivement douze et dix, et que son frère Charles, à trois ans, était trop jeune pour comprendre ce qui se passait. Diana était la plus sensible des quatre, et la moins sûre d'elle.

Le comte Spencer a reconnu devant Mary Clarke que la séparation de ses parents avait bouleversé Diana. Elle était heureuse et vive à certains moments, placide et morose à d'autres. L'expérience a été douloureuse pour elle. Lors d'une discussion avec son amie Simone Simmons, Diana a comparé ce sentiment à « un grand trou noir, si vide que rien ne peut le combler ».

Plus qu'aucun autre peut-être, c'est cet événement, et le sentiment qu'elle avait été abandonnée, qui a fait de Diana la personne qu'elle est devenue – à l'intérieur d'elle-même, au contraire de ce qu'elle laissait apparaître en public.

Le départ de sa mère a représenté pour elle une trahison de son innocent amour enfantin. Cela semble être la source de son incapacité à faire confiance à autrui, et ce qui a créé en elle une insécurité si grande qu'aucun amour n'a jamais pu la rassurer.

Un autre de ses confidents, Roberto Devorik, doute que Diana se soit jamais remise du divorce de ses parents. Il est persuadé que ces événements l'ont « marquée pour la vie ». Selon lui, ses problèmes ultérieurs n'ont eu une telle ampleur qu'à cause du choc causé par cette rupture dans son existence.

La famille de Diana s'était désintégrée et elle se considérait en partie responsable de la séparation de ses parents. Elle avait entendu dire que, avant sa naissance, ses parents ayant déjà deux filles avaient expressément souhaité un garçon. Dix-huit mois avant la venue au monde de Diana, ils avaient perdu un fils nouveau-né. Il n'avait que onze heures au moment de sa mort, et avait déjà été baptisé John. En revanche, aucun prénom de fille n'avait été choisi quand Diana est née, tant ses parents étaient persuadés qu'ils auraient un garçon. Quand elle fut baptisée, le 30 août 1961, Diana n'eut aucun parrain ou marraine de sang royal, à l'inverse de ses sœurs – la marraine de Sarah était la reine mère et le parrain de Jane, le duc de Kent.

Plus tard, ce sentiment d'être «la fille qui aurait dû être un garçon» a été prégnant dans l'esprit de Diana. Elle était convaincue d'avoir déçu ses parents. «Dès son âge le plus tendre, se souvient Debbie Frank, elle a eu l'impression de ne pas être à la hauteur.» Diana a fait le même récit de ses traumatismes d'enfance à plusieurs de ses amis. Ce sentiment de perte n'était pas futile : elle le ressentait au plus profond d'elle-même et l'évoquait souvent.

Feu Lady Elsa Bowker, une autre de ses proches amies durant plusieurs années, se souvenait des nombreuses fois où Diana et elle prenaient un café ensemble. «C'était difficile, car je devais toujours la rassurer, lui dire qu'elle était aimée, mais elle me regardait d'un air dubitatif. Je lui disais : "Tu as le monde à tes pieds." Elle me répondait invariablement : "Tu appelles ça avoir le monde à mes pieds ? Enfant, je n'ai pas été désirée car on voulait un garçon. Oh, Elsa, je n'ai pas été désirée. Je n'ai pas été désirée." Ces mêmes mots revenaient sans cesse : "Je n'ai pas été désirée." C'était terrible à entendre !»

Diana dit n'avoir jamais manqué d'aucun bien matériel durant ses années d'enfance, même si elle estime avoir été privée de l'amour et de l'attention dont elle avait tant besoin. Au moment du divorce, la garde des enfants a été confiée à Johnnie Spencer. Ils passaient donc leurs week-ends, pendant l'année scolaire, à faire le trajet entre le Norfolk et la gare de Liverpool Street, à Londres, pour se rendre chez leur mère. Diana a toujours gardé en mémoire les larmes de sa mère durant ces brèves visites.

Les vacances n'étaient guère plus gaies. Pendant ces interminables voyages en train, Diana était réservée et songeuse. Elle pensait souvent au parent qu'elle venait de quitter. En laissant son père derrière elle, elle se disait : « Pauvre papa, nous l'avons laissé tout seul. » De la même façon, en partant de chez sa mère, elle pensait : « Pauvre maman, elle n'a plus personne. »

C'est un bon indicateur des sentiments qui agitaient la jeune Diana, mais également les premiers signes de sa capacité à manipuler les gens, par l'utilisation d'un parent contre l'autre.

En 1972, alors que Diana n'avait que onze ans, le lien avec sa mère s'est distendu après l'annonce du départ de Frances et de son second mari, Peter Shand Kydd, pour une ferme de l'île de Seil, au large de l'Écosse.

À partir de ce moment-là, Diana est partie à la dérive. Rejetant la famille heureuse et unie de son enfance, elle s'est échappée dans un monde de faux-semblants, un univers de conte de fées où tout le monde était gentil, où l'on s'aidait les uns les autres et où tout finissait bien. On pouvait la voir se construire une famille de substitution grâce à laquelle elle recevait de l'amour et en donnait à son tour. Elle possédait une véritable ménagerie d'animaux en peluche qui prenaient tellement de place dans son lit qu'il ne lui restait qu'un tout petit espace pour dormir.

Son ancienne nurse, Mary Clarke, a souvent observé le mal qu'elle se donnait pour que chaque peluche soit exactement à la bonne place quand elle allait se coucher, sans qu'aucune soit favorisée par rapport aux autres. « Elles devaient être près d'elle, chacune son tour, pendant la nuit. » Diana parlait de ses peluches comme de sa « famille ».

Un jour, encore enfant, Diana a eu un cochon d'Inde nommé Peanuts qui la suivait partout. Des années plus tard, Roberto Devorik a vu une des photos de Diana petite, sur laquelle elle tient Peanuts près de son visage. Devorik lui a dit qu'il ne pensait pas qu'elle aimait les animaux. Elle lui a répondu, sur le ton de la confidence : « À cette époque, je considérais ces animaux comme mes enfants, ma famille. J'avais besoin de cela, j'avais besoin d'être entourée de ce qui pouvait me donner de l'amour, et à qui je pouvais en donner en retour. »

Le monde imaginaire que Diana construisait était aussi nourri de ses lectures romantiques. On la trouvait souvent plongée non pas dans un, mais plusieurs romans de Barbara Cartland éparpillés autour du canapé. Mary Clarke se souvient encore de la vitesse à laquelle Diana pouvait dévorer ces romans. Ils lui offraient un monde imaginaire plein d'amour et de belles histoires et, plus important encore, un monde dans lequel les amoureux vivaient ensemble, heureux pour toujours.

Mary Clarke était assez inquiète la première fois qu'elle a rencontré Diana, alors âgée de neuf ans, car son avenir reposait sur leur première impression à toutes deux. Elle a été frappée par leur conversation, ce jour-là.

Diana était à l'école primaire et les vacances allaient commencer. La première tâche de Mary Clarke a été d'aller la chercher à Riddlesworth Hall, à une heure environ de Sandringham, pour la raccompagner à la maison. La petite fille l'attendait lorsque Mary a garé la voiture. Derrière elle, sur le sol, étaient posés sa malle et tout un attirail incroyable. Elles ont tout chargé dans le coffre de la voiture et se sont dirigées ensemble vers l'école pour récupérer Peanuts, le cochon d'Inde, avant de partir pour Park House. Riddlesworth Hall autorisait ses pensionnaires à venir avec leur animal de compagnie si elles le désiraient. Diana s'occupait tellement bien de son cochon d'Inde qu'elle avait remporté le prix du « meilleur soin donné à un animal ».

Pendant le trajet du retour vers Sandringham, toutes deux ont discuté sans interruption. Mary a commencé par des sujets généraux, neutres, afin de mieux connaître sa nouvelle protégée. Elle lui a demandé par exemple quelle matière elle préférait à l'école. Diana a répondu que c'était la biologie. Mais très vite, avec toute la science dont elle était capable, la petite fille est passée de la reproduction des lapins à l'amour et au mariage. « C'était avant tout pour donner son avis sur ces deux sujets, raconte aujourd'hui Mary. Ce que j'ai trouvé très étrange pour une enfant de son âge. »

Pendant le trajet, Diana a confié à sa nouvelle nounou ses projets pour le temps où elle serait grande et elle-même mariée.

« Elle a dit qu'elle ne se marierait jamais à moins d'être amoureuse et certaine d'être aimée, parce que, sans amour, on risquait le divorce. » Diana a conclu la conversation par cette déclaration pleine de fermeté : « Je ne divorcerai jamais ! »

2

« J'avais envie de faire demi-tour ! »

« Quelle ironie ! Te voilà sur le point d'épouser la seule personne dans ce pays dont il est impossible de jamais divorcer. » Ainsi s'exprimait Mary Clarke dans une lettre, peu après le 24 févricr 1981, date à laquelle avaient été officiellement annoncées les fiançailles de Diana et du prince Charles. Mary Clarke ajoutait : « Si tu es absolument persuadée que c'est lui, l'homme que tu aimes, alors je te souhaite d'être en tout point heureuse, et je t'adresse mes félicitations. »

Il ne fait aucun doute que Diana tira quelque réconfort des sentiments manifestés dans ce courrier par Mary Clarke. De même, elle était rassurée de pouvoir se dire que son mariage ne s'achèverait jamais sur une séparation. Une telle chose, en effet, était impensable.

Depuis fort longtemps, Diana était persuadée qu'elle finirait par épouser un homme extrêmement important. Son père, affirmait-elle, la voyait promise à un grand destin, ce qu'il ne manquait jamais de lui répéter quand elle était petite. Sans compter les nombreux romans d'amour qu'elle avait lus, et qui avaient nourri ses rêves. Elle avait déduit de ces expériences qu'un homme l'attendait quelque part – son Prince charmant.

L'esprit de Diana était façonné en profondeur par ces deux puissantes figures jumelles que sont l'amour et le destin.

Aussi, quand Charles lui offrit le mariage, au soir du 6 février 1981, dans la roseraie du château de Windsor, eut-elle le sentiment d'avoir bel et bien rencontré son prince, celui dont elle rêvait depuis l'enfance.

Diana était très amoureuse de Charles, et ce mariage signifiait pour elle que le conte de fées allait devenir réalité. Ainsi s'achevait sa quête d'un époux et d'une famille heureuse. N'oublions pas que la jeune femme, après tout, n'était âgée que de dix-neuf ans, et qu'elle avait connu jusque-là une vie relativement protégée. Comment s'étonner de la voir se montrer à ce point sensible à une vision de l'amour idéale, quasi enfantine ?

Sa déception n'en fut que plus cruelle, par la suite, quand elle s'aperçut que le cœur de Charles était déjà pris. Diana devait avouer à ses amies qu'elle avait été effondrée d'apprendre l'existence de Camilla ; la nouvelle l'avait touchée au-delà du pensable.

Certes, les gens qui lisaient les journaux savaient que Charles et Camilla avaient eu une « liaison » dans le passé, et que Charles avait multiplié les conquêtes et les petites amies. Diana, qui n'était pas moins informée que quiconque, avait conscience de n'être pas la première à entrer dans la vie du prince.

C'est en 1972, alors qu'il était dans la Navy, que Charles a rencontré celle qui s'appelait encore Camilla Shand. Leur histoire d'amour ne fut pas la première à éclore entre leurs deux familles. La grand-mère de Camilla, Alice Keppel, avait été la maîtresse du roi Édouard VII. Mais il apparut en l'occurrence que Charles n'était pas prêt à se ranger. Aussi, en 1973,

Camilla préféra-t-elle le quitter pour épouser Andrew Parker Bowles. Charles venait de laisser passer une chance de faire de Camilla sa femme. Cependant, elle devint sa confidente, et leur relation reprit à la fin des années 1970.

Quand Charles commença à courtiser Diana, cette dernière s'imagina que le « cas » Camilla se réglerait facilement. Une fois qu'ils seraient mariés, se disait-elle, Camilla cesserait d'être un problème. Sans doute Diana envisageait-elle son union avec Charles comme un mariage heureux au sein duquel une ancienne liaison ne pouvait en aucun cas constituer un obstacle. Elle pensait en fait que tout se passerait bien.

Mais tel ne fut pas le cas. Camilla occupait toujours une place importante dans le cœur de Charles, comme Diana ne tarda pas à s'en apercevoir. Diana était jeune. Cette découverte lui fut insupportable.

Le 29 juillet 1981, un sentiment d'excitation et de bonheur s'empara du pays, et s'étendit même au-delà de ses frontières. Une personne, toutefois, n'était pas heureuse : celle-là même qui aurait dû vivre le plus beau jour de sa vie. Au moment de quitter Clarence House pour se rendre à la cathédrale Saint-Paul, alors qu'elle était sur le point d'entrer dans la famille royale en qualité de princesse de Galles, Diana était aussi proche du désespoir qu'il est possible de l'être.

Elle confierait plus tard à l'astrologue Penny Thornton les sentiments qui l'agitaient le jour de ses noces. Diana a téléphoné à Penny en mars 1986, après avoir entendu parler d'elle par sa future belle-sœur, Sarah Ferguson. Penny restera son astrologue et sa confidente pendant six ans. Le point le plus poignant de leurs entretiens concerne précisément ce qui s'est passé dans la tête de Diana la veille de son mariage.

Ce soir-là, pour célébrer son union, Charles avait allumé lui-même le premier d'une chaîne de cent deux bûchers dressés à Hyde Park. Vint ensuite un immense feu d'artifice qui, pendant presque une heure, illumina le ciel de Londres.

Diana dit à Penny que Charles n'était pas seul, ce soir-là. Il était avec Camilla.

«Il a passé la soirée qui précède son mariage avec cette femme !»

Penny se souvient parfaitement des mots prononcés par Diana, puisqu'elle les a notés dans un carnet tout de suite après. Était-ce la vérité ? Ce n'est pas clairement établi. Mais c'est très certainement ce que la princesse a dit à l'astrologue ; et il est évident que cela l'avait profondément choquée.

Mais Diana avait une autre raison de revenir sur ce qui s'était produit la veille de ses noces. Plus tôt dans la journée, Charles lui avait avoué qu'il ne l'aimait pas. Il s'était exprimé en employant un ton catégorique. Étant donné la manière dont Diana lui a présenté les choses, Penny pense que Charles a certainement éprouvé le besoin de se libérer d'un gros poids. Il avait soulagé son cœur et clarifié la situation. Diana avait compris. Il pouvait donc se présenter à leur mariage.

Mais Diana, en fait, était accablée. Charles avait beau y avoir mis les formes, les rêves de la future princesse étaient réduits à néant.

Ainsi, à l'heure de paraître dans la cathédrale, tandis que l'atmosphère se chargeait d'une joie et d'une fierté contagieuses, alors que la foule se pressait le long des rues pour voir passer le cortège et lancer des vœux de bonheur aux époux, au moment même où des millions de personnes dans le monde applaudissaient l'événement, Diana portait sur cet «heureux jour» un regard affreux. En fait, en marchant vers l'autel, elle avait conscience d'être sur le point de s'unir à un homme qui ne l'aimait pas.

Quand elle s'avança au bras de Lord Spencer, chacun nota qu'elle semblait timide, apeurée. Mais qui aurait pu deviner les pensées qui l'agitaient ? « Fallait-il tout arrêter ? Fallait-il renoncer ? » Elle s'en est ouverte plus tard à Penny Thornton : « Penny, lui dit-elle, j'avais envie de faire demi-tour ! »

Selon Penny Thornton, « Diana avait une propension énorme à ressentir le rejet. Malheureusement, elle ne possédait pas les ressources à même de l'aider à surmonter les difficultés émotionnelles surgies dès le début de son mariage. Elle n'était tout simplement pas assez forte pour traiter avec Charles d'égal à égal. Ni d'ailleurs pour arriver à prendre du recul vis-à-vis de la tournure que prenaient les événements. »

Devenue princesse, elle aborda sa nouvelle existence en ayant l'impression d'être parfaitement incomprise, et fort seule. Rares étaient les personnes vers qui elle pouvait se tourner. Il lui semblait vivre dans un mensonge total. Épouse du futur roi, elle était supposée jouer son rôle comme si de rien n'était, alors que son mariage était tout bonnement réduit à néant. Diana était une femme qui avait besoin d'amour, et en même temps qui croyait en l'amour ; n'importe quel être doté du même tempérament aurait jugé la situation intolérable, désespérée.

Le changement qui s'était produit en elle fut perceptible dans le ton de ses lettres. « Elle avait perdu sa lumière intérieure », affirme Mary Clarke. Peu après son mariage, Diana écrivit à son ancienne nurse, dont le mari se préparait à partir pour l'Ouganda, pour lui exprimer sa compassion. Diana y écrivait combien elle serait désespérée si elle devait voir s'en aller, elle aussi, « la moitié d'elle-même ».

Dans une autre lettre, six mois plus tard, elle raconta à Mary qu'elle envisageait d'apprendre à monter à cheval. C'était entre elles un sujet de plaisanterie car Diana, enfant, avait eu un accident d'équitation qui lui avait laissé une sainte terreur des chevaux. Mary fut surprise de lire une telle nouvelle. Ainsi Diana affirmait maintenant vouloir apprendre à monter ! L'explication était simple. Diana, une fois capable de faire du cheval, aurait peut-être la possibilité d'être seule avec Charles de temps en temps.

Le mariage de Diana, tel un catalyseur, eut pour effet de réveiller toutes les blessures de son enfance – l'insécurité, la trahison, la solitude. Mais Charles n'en parut pas ému outre mesure. L'indifférence qu'il montra à l'égard des soucis de Diana les rendit même plus cruels encore, au point que la princesse était parfois submergée par la souffrance.

Car Diana n'était pas disposée à garder ses sentiments pour elle. Elle voulait que Charles voie sa détresse. Lors du premier Nouvel An qu'elle passa avec la famille royale, elle se jeta dans l'escalier à Sandringham – elle en fit elle-même le récit au journaliste Andrew Morton. Il n'est peut-être pas inutile de préciser qu'elle était alors enceinte de William, depuis sa lune de miel à Balmoral, en Écosse. Ce fut sa première tentative de suicide. Beaucoup d'autres suivraient. Était-ce une façon d'attirer l'attention sur elle, plus qu'une volonté réelle de se donner la mort ? C'est possible. Néanmoins, plus elle exprimait sa souffrance, plus elle poussait Charles à s'éloigner d'elle. Les efforts qu'elle déployait pour le faire revenir ne parvenaient qu'à creuser davantage le fossé entre eux. Elle s'enfermait dans un terrible cercle vicieux.

Sa boulimie a fait couler beaucoup d'encre – chroniqueurs et journalistes voyaient dans ses désordres alimentaires le signe de sa dépression. Là encore, il s'agissait d'un appel au secours. Diana disait avoir eu un accès de boulimie le soir même qui précéda son mariage. Les choses empirèrent pendant la lune de miel en Écosse. Elle endurait quatre crises par jour. Elle devint incapable de gérer le quotidien. Elle n'arrivait plus à éprouver d'émotions. L'amour lui étant refusé, elle y substituait la nourriture. Celle-ci remplaçait l'élément qui manquait le plus à son existence. Tout se passait comme si elle voulait combler un vide, par n'importe quel moyen.

William vint au monde le 21 juin 1982, Harry deux ans plus tard, le 15 septembre 1984, mais ces deux naissances ne suffirent pas à apaiser le sentiment de désillusion éprouvé par Diana.

Le besoin d'appartenir à une famille avait toujours joué chez elle un rôle primordial. Sur le plan psychologique, elle avait espéré trouver une famille de substitution en épousant Charles. Mais la vie menée par les Windsor ne pouvait lui offrir l'environnement qu'elle recherchait, tant ils étaient prisonniers d'un carcan largement déterminé par l'histoire et la tradition. Eux-mêmes, du reste, estimaient que le rôle de Diana était d'accomplir son devoir envers la reine et le pays ; ils n'avaient de temps à consacrer ni à ses crises de larmes ni à ses colères souvent violentes.

Les dernières années, elle confia à son ami Roberto Devorik d'un cauchemar récurrent qui lui était venu après la naissance de Harry. Devorik était originaire d'Argentine. Ayant ouvert avec des associés une boutique de mode sur Bond Street, il avait été sollicité pour habiller la princesse lors de ses fiançailles avec Charles.

Par la suite, ils ont appris à se connaître en participant à des actions caritatives, dont l'AIDS Crisis Trust. Roberto est finalement devenu un confident de Diana, quelqu'un vers qui elle se tournait pour demander conseil. Elle lui parla donc de ce rêve dans lequel son mari était sur le point d'être couronné roi, elle-même se préparant à être reine. Le couronnement se déroulait à l'abbaye de Westminster. Les époux étaient assis côte à côte, face à la congrégation et au monde. On apportait la couronne royale qui était déposée sur la tête de Charles ; elle lui allait à merveille. Mais quand venait le tour de Diana, la couronne glissait pour lui retomber sur le visage et le cou. Diana avait beau faire, impossible de l'enlever ! Elle n'y voyait plus rien. Elle étouffait…

Son inconscient, avec une intuition tragique, lui disait qu'elle ne parviendrait pas à rester unie par le mariage à la famille royale ; il lui annonçait de la façon la plus claire que son avenir était ailleurs.

3

L'impensable se produit

Les craintes qui sous-tendent le cauchemar récurrent de Diana vont devenir bien réelles pendant plusieurs années, jusqu'à connaître un apogée en 1992. Les premières manifestations publiques des difficultés du couple sont relayées par les journaux dès 1985. L'année suivante, Charles retourne une nouvelle fois vers son ancien amour, Camilla Parker Bowles, après plusieurs années de séparation, et les désordres alimentaires de Diana ne montrent aucun signe d'amélioration. Le couple royal continue d'honorer ses obligations publiques, mais chacun vit de son côté.

En novembre 1986, Diana commence à prendre des leçons d'équitation avec un certain major James Hewitt. En réaction au comportement de Charles, autant que pour attirer l'attention, elle entame bientôt une liaison avec lui. Fils d'un officier de la Marine royale, Hewitt est un capitaine de cavalerie chargé des écuries de la Division de la garde de la maison royale pour son régiment, les Life Guards. Dès le début de sa relation avec Hewitt, Diana contrôle la situation, comme ce sera par la suite le cas pour toutes ses liaisons – sauf une.

Durant l'été 1987, le prince Charles passe plus d'un mois à Balmoral tandis que sa femme reste obstinément à Londres. La presse a calculé qu'ils n'ont passé qu'une journée ensemble au cours des six dernières semaines, et commence à spéculer sur une possible fêlure dans le couple.

Jusqu'en 1991, la rumeur enfle. Il se murmure que, durant les voyages officiels et les vacances, ils font chambre à part. Au moment de leur dixième anniversaire de mariage, le 29 juillet 1991, Diana a déjà entamé, avec le journaliste Andrew Morton, la série d'entretiens qui formera le cœur de son livre, *Diana, sa vraie histoire*[1]. Diana est déterminée à ce que la liaison entre Charles et Camilla Parker Bowles éclate au grand jour.

Bien que les années précédentes aient déjà été malheureuses, ponctuées de traumatismes psychologiques et d'infidélités, 1992 marque un tournant dans la vie de Diana. À cette époque, son aventure de cinq ans avec James Hewitt est terminée. L'unité du major Hewitt, les Life Guards, avait été envoyée au Koweït après son invasion par l'Irak. Quelques mois après la libération du Koweït, le 28 février 1991, Hewitt était revenu en Angleterre, mais leur liaison, restée longtemps secrète – de façon surprenante –, avait finalement été révélée par la presse avant que Diana, sentant qu'elle perdait le contrôle de la situation, n'y mette fin. Des années plus tard, Hewitt racontera que Diana a tout simplement cessé de l'appeler et de répondre à ses appels. Il n'y a pas eu de rupture à proprement parler, et il n'a pas eu l'occasion de lui dire au revoir.

Le 29 mars 1992, le père de Diana, le comte Spencer, meurt à l'hôpital, des suites d'une attaque cardiaque,

1. Pocket, 1998.

à l'âge de soixante-huit ans. La famille de Galles est alors en vacances dans la station de ski de Lech, en Autriche, et l'annonce de ce décès est un choc profond pour la princesse. Elle qui se sentait déjà isolée se rend maintenant compte qu'elle est vraiment seule. « Pour Diana, son père était comme un visa sur le passeport de la vie. Puis, soudain, il n'a plus été là et elle a dû se mettre à voyager seule », se remémore Roberto Devorik.

Il apparaît alors clairement aux observateurs de la famille royale que Diana ne va vraiment pas bien. Les signes de son isolement sont visibles sur nombre de photos, en particulier sur le cliché iconoclaste, pris en février 1992, où la princesse est assise seule devant le Taj Mahal, en Inde. Trois mois plus tard, Diana, toujours pensive et une nouvelle fois seule, est photographiée au pied de la pyramide de Gizeh, en Égypte.

Les expressions capturées par les pellicules et les vidéos sont interprétées comme autant de signes d'un mariage malheureux. Diana a indubitablement forcé le trait, de manière à donner d'elle une image propre à attirer la sympathie du plus grand nombre. De son point de vue, personne ne mesure à quel point elle se sent prise au piège, ni à quel point sa relation avec Charles manque d'amour.

Plus personne ne pourra bientôt l'ignorer. En juin 1992 sort le livre d'Andrew Morton, dans lequel il dresse le portrait d'une pauvre princesse victime d'un prince sans cœur et de sa famille, qui la bat froid. Pas le moindre sentiment d'affection ne subsiste entre le prince et la princesse de Galles. Le monde entier est abasourdi et le livre parvient à éloigner encore davantage Diana de Charles, de sa famille et de l'*establishment*.

Mais il vaut aussi à la princesse une vague de sympathie et de soutien de la part du grand public.

Charles, en revanche, est catalogué comme un mari dur et déloyal. Personne ne connaît encore, à cette époque, l'ampleur de la contribution de Diana au projet d'Andrew Morton.

Quand, le 9 décembre 1992, Charles et Diana décident de se séparer, la boucle est bouclée. La seule chose qu'elle voulait éviter à tout prix, le divorce, semble inévitable. Les craintes de trahison et d'abandon de la petite fille se concrétisent pour la seconde fois de sa vie et, cette fois, sous les yeux du monde.

La femme qui arrive au bout de cette année-là a mené bien des combats, intimes et publics. Diana est épuisée. Elle a besoin de tranquillité, de se réconcilier avec elle-même et d'apaiser sa relation avec le monde extérieur.

Durant les cinq années suivantes, le foyer de Diana sera un appartement de Kensington Palace. Il sera son ultime refuge après l'effondrement de son mariage sans amour.

4

Seule dans la maison vide

Diana s'éveille à 7 heures précises. Le matin est le moment de la journée qu'elle préfère, quand toutes choses prennent vie. Elle regarde par la fenêtre de sa chambre ; ici tout est paisible, mais elle perçoit l'activité fébrile qui règne déjà en certains endroits du palais. C'est comme si tout recommençait. Diana quitte son lit sans effort. Elle passe un tee-shirt, un collant et un pantalon de survêtement. Elle se glisse dehors pour son jogging matinal dans les jardins de Kensington Palace. Rares sont les jours où elle se dispense de ce rituel, même quand le temps ne s'y prête pas. Au rythme répétitif de ses foulées, elle prend le temps de penser à la journée qui s'annonce.

Kensington Palace se situe en lisière de Hyde Park, du côté est. C'est un palais aux proportions splendides, où chaque appartement dispose d'une cour et de jardins privés.

À son retour, Diana avale rapidement un café en compagnie de son majordome, Paul Burrell, si tant est que ce dernier soit déjà arrivé pour prendre son travail. Après le café, l'heure est venue pour elle d'entrer dans le monde réel, en particulier les très concrets embouteillages qu'il lui faut inévitablement subir pour gagner en voiture la salle de gym où l'attendent ses exercices quotidiens. Diana est une fanatique du « rester en forme ». Chaque jour, elle cultive son apparence. Elle entend prouver – au moins à elle-même – qu'elle est toujours attirante. Les entraînements auxquels elle s'astreint occupent une bonne partie de ses journées, qui resteraient bien vides sans eux.

À 9 heures, elle revient au palais. Le coiffeur de chez Daniel Galvin est déjà là, prêt à donner à Diana son shampooing quotidien, et à lui sécher les cheveux. Si ce n'est déjà fait, Diana appelle deux ou trois amis. En général, elle leur parle assez longtemps : comment elle se sent, ce qu'elle fait, ses projets pour la journée. Le téléphone est devenu son compagnon fidèle et son plus grand allié. Il faut croire qu'elle ne se soucie pas beaucoup de la facture, car il lui arrive d'appeler pendant de longues heures. Elle ressent le besoin de prendre régulièrement des nouvelles de nombreuses personnes.

Diana aime avoir toujours un fond musical. Contrairement à la croyance populaire, elle est fan de musique classique. Ce matin-là, Tchaïkovski résonne dans tout l'appartement, qui s'élève sur quatre étages et se termine par un toit en terrasse, idéal pour les bains de soleil. Diana a redécoré sa maison depuis le départ de Charles. C'est désormais un intérieur féminin, qui donne l'impression d'être habité. Toute sévérité s'en est allée avec les moquettes à motifs de plumes tourbillonnantes des princes de Galles. Diana les a remplacées par d'autres, adaptées à son goût : un choix de tons pastel, qui donnent au lieu une atmosphère douillette.

Diana se dirige vers le « coin détente », son salon personnel. Cette pièce, l'une de ses favorites, est emplie de souvenirs, de menus objets et de centaines de photos de toute sa famille, portraits de ceux sur qui elle peut compter, dont la présence adoucit sa solitude.

Ce salon comprend un endroit qu'elle appelle « coin du savoir ». En fait, les livres luxueux qui s'y empilent sur une chaise ne sont là que pour l'apparence. On y trouve également beaucoup d'ouvrages sur Jackie Kennedy, ainsi qu'une biographie et des vidéos de films avec Audrey Hepburn. La plupart de ces publications lui ont été offertes par des gens qui pensaient qu'elles pouvaient lui être « utiles ». En réalité, Diana garde sur sa table de chevet les ouvrages qu'elle apprécie vraiment. Il s'agit de romans comme ceux de Catherine Cookson ou de Danielle Steel, parmi lesquels un volume détonne : un exemplaire du Coran rapporté deux ou trois ans plus tôt d'un voyage au Pakistan.

Dans son appartement de Kensington Palace, Diana s'est également entourée d'autres souvenirs du passé. Elle vit dans un palais, mais sa chambre à coucher abrite toujours les peluches qu'elle rangeait le soir avec soin, dans sa chambre, quand elle était enfant. Elles reposent à présent sur la courtepointe, ou sur la petite chaise longue au pied de son lit. Toutes ont ici leur place, et chacune a un nom. Pour elles, rien n'a changé.

Diana va s'asseoir à son bureau devant la fenêtre. Le téléphone y est à portée de main, bien sûr. Elle y a aussi son bloc de papier à lettres, car elle peut avoir besoin de noircir des pages sans retenue. Une pile de courrier est en attente de réponse. Pour Diana, la correspondance n'est pas une corvée. Elle aime écrire. Les lettres lui permettent de rester en contact avec l'extérieur.

Diana a fini sa correspondance. C'est l'heure d'aller voir un thérapeute. Ce matin, ce sera un massage thaï.

Ces dernières années, elle s'est tournée de plus en plus vers les médecines douces ; elle les voit comme une source où puiser la force de combattre son sentiment d'insécurité. Elle s'est mise à explorer toutes les formes de soins alternatifs, comme autant de moyens susceptibles de gérer ses problèmes physiques et psychiques.

Les traitements auxquels elle se soumet couvrent tout le lexique des médecines parallèles. Diana est adepte de l'ostéopathie et de l'ostéopathie crânienne, mais elle pratique aussi la réflexologie, l'acupuncture, l'acupressure et le shiatsu, les massages dont le massage thaï, l'irrigation du côlon, l'aromathérapie, les traitements énergétiques, la chiropraxie, les herbes, l'homéopathie, la psychothérapie et l'hypnose. Il est peu de traitements qu'elle n'ait essayés. Elle s'est même entichée d'une pratique consistant à se fixer des fossiles sur les jambes.

Au moment de sa séparation d'avec Charles, elle s'assommait de somnifères avant de se coucher, puis avalait des excitants le matin pour se réveiller. À présent, elle s'essaye aussi à des régimes particuliers, macrobiotiques et microbiotiques. Elle boit des jus et autres décoctions pour éliminer les toxines. Ses amis la décrivent comme une grande « chercheuse » extrêmement ouverte aux différentes façons de vivre. Elle fuit une existence qui progresserait comme sur des rails. Elle veut au contraire aller voir comment ça se passe ailleurs, comment il est possible de vivre autrement. C'est pourquoi elle peut aussi passer pour influençable, tant l'habite le désir de s'immerger dans les idées et les usages des autres sociétés.

Le revers de la médaille, c'est qu'elle a fini par devenir presque totalement dépendante de ses thérapeutes, psychothérapeutes et autres mystiques. Elle voit en chacun de ces gourous un être désigné pour veiller sur elle et elle seule. C'est certainement une façon de tenter de venir à bout de ses souffrances et conflits intérieurs ; mais surtout, en se faisant suivre ainsi, en se plaçant sous l'attention de ses thérapeutes, elle attire sur elle un peu de cet amour auquel elle aspire tant. D'ailleurs, quand elle est à Londres, ses soins finissent par occuper presque tout son temps. Il lui arrive de voir quatre praticiens par jour, et de subir deux irrigations du côlon par semaine.

En un mot, Diana est devenue accro. Elle admettra des années plus tard que ces soins ne lui faisaient aucun bien, si divers et nombreux fussent-ils. La vérité est que les traitements s'annihilaient les uns les autres.

Après le déjeuner, elle signe les lettres rédigées le matin. Ensuite, vient le moment de mener ses affaires. Diana se dirige alors vers le salon modeste où l'attend un entretien avec des journalistes. Après cela, elle a prévu de recevoir les représentants d'une association caritative.

Telle est la vie de Diana à Kensington Palace après sa séparation d'avec Charles. « C'est comme être enfermée, dit-elle, dans une prison dorée. » Elle se compare volontiers à un petit oiseau dressé sur le perchoir de sa cage luxueuse, autorisé seulement à regarder le monde extérieur, à contempler l'inaccessible et miroitante liberté. S'avise-t-elle de sortir ? Elle est immédiatement entourée par des centaines de photographes. Et si elle reste enfermée chez elle, elle se retrouve seule avec elle-même. Mais, comme elle veut avoir ses enfants auprès d'elle, elle ne peut guère vivre ailleurs.

Diana est la femme la plus photographiée du monde – aucune autre célébrité n'a jamais eu un tel impact planétaire. C'est un phénomène, une icône.

Elle compte des millions d'admirateurs. Elle ne peut aller nulle part sans rassembler des foules et soulever des clameurs de joie. Et pourtant quelque chose lui manque. Elle se sent vulnérable, anxieuse, vouée à la solitude et à l'abandon.

Ces sentiments sont démultipliés chaque fois qu'elle retrouve au palais son appartement vide. Certes, elle partageait encore tout à l'heure la compagnie d'autres célébrités. Ne sort-elle pas d'un gala où des milliers de gens l'adoraient ? Si, bien sûr. Mais ce qui l'attend à la maison, c'est un plateau-télé, et le sentiment de n'avoir personne à qui parler.

Kensington Palace abrite de nombreux logements accordés par la reine à divers membres de la famille royale. On y trouve les résidences londoniennes de la princesse Margaret, de la princesse Alice, du duc et de la duchesse de Gloucester, du prince et de la princesse Michael de Kent. Sans parler de quantité d'autres appartements plus petits dont certains sont occupés par les serviteurs de la Couronne. Lady Jane Fellowes, la sœur aînée de Diana, et Lord Robert y résidaient quand ce dernier était le secrétaire particulier de la reine. Diana y avait son propre personnel, dont une secrétaire, deux secrétaires assistantes, un majordome, une femme de chambre, une habilleuse et un chef cuisinier ; mais aucun membre de ce staff ne vivait sur place.

Roberto Devorik décrit ainsi l'environnement « familier » de la princesse : « Quoi de plus triste que d'être seul chez soi ? Telle est l'image que j'avais de Diana depuis des années. Elle était là, assise au milieu de tableaux magnifiques, sur des sofas immenses, parmi des objets d'art extraordinaires. Toute seule. Attendant le week-end pour voir enfin ses enfants, les amours de sa vie.

C'était très triste. Une femme aussi adulée. Qui avait le monde à ses pieds. Passé 18 heures, elle était là avec son plateau-repas – une soupe, un verre d'eau ou de vin. Soir après soir. C'était ça ou aller frapper à la porte d'un ami. Ou alors c'était une soirée de gala. »

Les proches de Diana disent que sa solitude était palpable. Son amie, l'astrologue Debbie Frank, témoigne : « Diana aspirait follement à être aimée. Elle a nourri toute sa vie un fort besoin d'amour. Elle en recevait de toutes parts. De ses fils, bien sûr, fréquemment. De ses amis aussi. Et du public. Elle se sentait tellement attachée au public ! Il lui donnait vraiment l'impression de pouvoir entrer en relation avec les gens du peuple. Mais l'amour au sens personnel, au sens d'une relation à même de la combler, c'est quelque chose qu'elle a poursuivi toute sa vie. »

Roberto Devorik résume ainsi la situation : « Diana s'intéressait à l'amour comme à la seule chose qu'elle ne parviendrait jamais à obtenir. C'est comme voir une montre très chère à la devanture d'une bijouterie. Tu te dis : "Je veux cette montre !" C'est ton rêve. Tu mets de l'argent de côté. Tu finis par te débrouiller pour te payer la montre. Mais à peine es-tu sorti de la bijouterie qu'elle a déjà perdu de sa valeur. La fascination n'est plus la même. Diana n'est jamais allée chercher la montre dans la bijouterie – autrement dit, l'amour. Elle rêvait de trouver l'amour sans jamais parvenir à la connaître. Raison pour laquelle elle se précipitait dans des liaisons comme un éléphant dans un magasin de porcelaine. Des liaisons auxquelles beaucoup de ses amis s'opposaient d'ailleurs fermement. C'était le fruit de la frustration. Elle aspirait à être désirée. Elle aurait voulu qu'on l'aime, qu'on ait besoin d'elle. Mais elle n'obtenait jamais ce qu'elle voulait. »

Dans cette cage dorée de Kensington Palace, là où Diana se sentait mal-aimée et isolée du reste du monde, le téléphone comptait par-dessus tout. C'était son moyen de communication privilégié. Avec les années, elle devait passer toujours plus de temps au téléphone. Et pas seulement quand elle était au palais. Où qu'elle fût sur la planète, Diana parlait en permanence de sa propre vie.

5

« Appelez-moi simplement Diana »

Simone, c'est Diana. Je suis en réunion. Il est 3 heures, et j'en ai encore pour une heure. Tout s'est très bien passé au déjeuner. Je te raconterai ça dès la fin de la réunion. Je t'embrasse. Au revoir[1].

Le répondeur s'arrête et émet un bip une fois le message enregistré dans un appartement de Sentinel Square, à Hendon, dans le nord de Londres. La visite de Sentinel Square ne laisse pas de souvenirs impérissables. Ce n'est pas un quartier où l'on a envie de s'asseoir à une table pour boire un cappuccino comme on le ferait à Battersea Village, ou encore pour admirer les magnifiques terrasses de style géorgien à Hampstead. C'est plutôt le genre d'endroit où les enfants traînent devant les supermarchés Tesco, où les papiers d'emballage et autres sacs en plastique sont emportés par le vent dans les plates-bandes. Une enseigne signale une salle de gym où l'on vous promet le corps dont vous avez toujours rêvé, mais personne ne semble l'avoir remarquée. Les habitants du quartier ne se préoccupent pas de

1. Message laissé par Diana sur le répondeur de Simone Simmons.

beauté. Sur un côté de la place s'élève un immeuble de neuf étages typique de l'horrible architecture préfabriquée des années 1960. Dans le hall sombre, un homme âgé marmonne qu'il vaut mieux prendre l'escalier plutôt que d'être encore une fois coincé dans l'ascenseur. L'ensemble dégage une désolante impression d'abandon.

L'endroit n'est pas très différent d'autres zones urbaines, si ce n'est qu'une de ses habitantes a noué une relation amicale unique avec l'une des femmes les plus connues de la planète. Cette amitié, les deux femmes l'ont gardée pour elles jusqu'à la fin.

Contrastant avec le hall sobre et gris, l'appartement de la femme qui habite là est une jungle de couleurs qui réveille les sens. Murs jaune vif, canapé orange, meubles lilas et rideaux rouges. Sur les étagères de l'entrée et de la salle de séjour est disposée une impressionnante collection de cristaux de toutes tailles et de toutes formes. Là où d'autres auraient des statuettes de porcelaine ou de verre, cette femme a choisi une décoration qui a un sens : elle croit fermement au pouvoir des cristaux.

L'appartement n'est pas plus grand qu'une cabine de bateau. La femme se tient au milieu du salon, les jambes croisées, entourée de ses trois chats, Precious, Ploopsey et Sooty.

Elle a une chevelure flamboyante de bohémienne et un regard gris-vert captivant. Elle se nomme Simone Simmons, et Diana l'évoque comme son « arme secrète ». Elle est d'une honnêteté désarmante à son propos – ni hésitation, ni réserve, ni défiance. Elle parle avec franchise un langage terre-à-terre et, dans l'esprit de Diana, personne ne peut se douter à quel point elles sont devenues proches.

Tenue à l'écart par la famille royale, Diana a aussi tourné le dos à l'establishment depuis sa séparation. Elle éprouve un besoin urgent de se retrouver, de mieux cerner son identité. Diana commence à former un nouveau cercle autour d'elle, qui comprend bon nombre d'astrologues et de thérapeutes. Elle se repose de plus en plus sur les membres de cette nouvelle cour, cherchant à échapper à sa solitude en nouant des amitiés très éloignées de ses cercles précédents. Simone et Diana se sont rencontrées grâce à un ami commun dans un centre de repos londonien. C'était à peu près à l'époque de l'annonce dramatique de son retrait de la vie publique, le 3 décembre 1993, qu'elle avait justifié en invoquant l'accablante attention médiatique dont elle était victime, en particulier dans sa vie privée. Dans cet esprit, elle avait demandé qu'on lui accorde « le temps et l'espace qui [lui] avaient manqué ces dernières années ».

On comprend que Diana ait pu trouver auprès de Simone Simmons l'apaisement dont elle avait besoin. Avec elle, la conversation devient vite un papotage teinté d'humour. Simone, âgée de quarante-quatre ans, est née à Hampstead. Elle a exercé la profession de secrétaire médicale avant de devenir guérisseuse énergétique en 1990.

Son petit appartement de Hendon, dans la banlieue ouvrière au nord de Londres, est à mille lieues du glamour et des paillettes de Kensington Palace. La première fois que Diana l'a invitée, elle ne savait même pas vraiment où se situait le palais et a dû demander son adresse.

« Appelez-moi simplement Diana », lui a dit la princesse lors de ce premier rendez-vous, ce à quoi la thérapeute a répondu : « Eh bien, appelez-moi simplement

Simone ! » Simone Simmons s'est ensuite excusée de devoir enlever ses chaussures, car ses pieds la faisaient affreusement souffrir. Elle avait mis des vêtements chic pour l'occasion, pour la première et la dernière fois. « À l'avenir, lui dit-elle, il faudra vous habituer à mon vrai moi ! »

L'amitié entre Diana et Simone Simmons a des origines purement professionnelles. L'après-midi où elles se sont rencontrées, avant la première visite de Simone à Kensington Palace, Simone se souvient que Diana était très agitée, incapable de rester en place. Elle a senti que la princesse était en pleine détresse émotionnelle, doutant d'elle-même et culpabilisant pour tout ce qui ne tournait pas rond dans sa vie. Selon Simone, « trois tombereaux de déchets émotionnels » ont été traités durant cette seule séance.

Les cicatrices d'automutilations étaient visibles sur le haut de ses bras et ses cuisses et, du point de vue de sa nouvelle thérapeute, Diana se punissait en permanence, bien qu'elle fît tout ce qu'elle pouvait pour faire plaisir aux autres. « Diana avait cette mauvaise habitude de s'en vouloir pour tout ce qui n'allait pas dans sa vie sentimentale. Puis elle commençait à s'infliger des blessures, avant tout pour faire sortir la douleur sur le plan physique, mais aussi pour voir si quelqu'un s'en apercevrait et lui accorderait un peu d'attention. »

Les deux femmes apprennent à mieux se connaître, et Diana invite Simone dans son appartement de Kensington Palace afin de le débarrasser des résidus de mauvaise énergie datant de son mariage. La relation patient-thérapeute évolue bientôt en une amitié hors du commun.

Vue de l'extérieur, cette amitié entre Diana et Simone Simmons peut être considérée comme une rencontre improbable. Elles semblent n'avoir rien en commun, aucun centre d'intérêt partagé. Mais le cœur de la relation repose sur l'envie de Diana de vivre une vie normale, qui ne soit pas exposée aux yeux de tous ; de faire des choses banales, comme tout le monde. Diana aspire tout simplement à la normalité et elle pense qu'elle peut «être elle-même» avec sa nouvelle amie. Dans les souvenirs de Simone, on perçoit cette envie qu'avait Diana de mener une vie ordinaire.

Les soirées se déroulent le plus souvent dans le «petit salon» de Diana à Kensington Palace. Il y a deux canapés dans l'angle droit, un tapis et, devant la cheminée, un gros coussin en forme d'hippopotame sur lequel Simone aime s'installer. Ensemble, les deux femmes regardent tout simplement la télévision ou papotent de tout et de rien, souvent jusqu'au petit matin. Elles boivent du thé, non pas dans un service de porcelaine de Chine, mais dans des «mugs ordinaires, pas ceux réservés aux occasions particulières».

Simone raconte que Diana était une mordue des séries télévisées. «Elle adorait *EastEnders*[1] et il n'était pas question de la déranger le samedi soir pendant *Casualty*[2].» Quand elles ne sont pas ensemble devant le poste, Diana passe souvent un coup de fil à Simone après *Coronation Street*[3] et *Brookside*[4] pour commenter les épisodes.

Un samedi matin, Diana appelle Simone : «Que fais-tu tout à l'heure ? Tu veux venir dîner ?» Simone lui

1. Feuilleton populaire britannique diffusé par la BBC depuis 1985, qui compte à ce jour plus de 3 200 épisodes. *(N.d.T.)*

2. Série médicale diffusée elle aussi par la BBC depuis de très nombreuses années. *(N.d.T.)*

3. Feuilleton diffusé depuis les années 1960 sur ITV. *(N.d.T.)*

4. Feuilleton qui se déroule dans la banlieue de Liverpool. *(N.d.T.)*

demande ce qu'elle a dans ses placards. Diana répond qu'elle n'a rien, son personnel ne lui a laissé que de la salade. Simone suggère qu'il y a peut-être des pâtes, des tomates en boîte, le genre de chose que l'on trouve dans une cuisine normale. Mais Diana lui assure qu'il n'y a rien de tout cela. Simone lui propose alors de s'arrêter dans un supermarché en chemin et de la rejoindre vers 18 heures, en compagnie de leur amie commune Ursula Gatley, une des thérapeutes de Diana.

Quand elles arrivent au palais, les deux amies sont présentées à Richard Kay, du *Daily Mail.* Diana les accompagne ensuite dans la cuisine, et les deux femmes s'activent bientôt à couper les légumes et les fines herbes. Diana, en retrait, les observe avec stupéfaction. Pendant que les pâtes cuisent, Ursula va aux toilettes et appuie accidentellement sur le bouton d'urgence au lieu d'allumer la lumière. Immédiatement, six policiers font irruption dans l'appartement et se livrent à une fouille complète de routine pour s'assurer que tout va bien.

Les policiers partis, Simone décide de jeter un œil dans les placards de la cuisine de Diana, et découvre à sa grande surprise que l'un d'entre eux est plein à craquer d'énormes paquets de pâtes, tandis qu'un autre regorge de tomates en boîtes ! Diana n'a tout simplement jamais pensé à les ouvrir et n'avait aucune idée de la présence de toute cette nourriture ! Elle est impressionnée par la découverte de Simone. « C'était comme si nous avions trouvé de l'or ! »

C'est le premier de nombreux dîners concoctés dans la cuisine de Kensington Palace. Après, elles font la vaisselle, une activité que Diana adore. Simone Simmons se rappelle que la princesse n'a jamais considéré les tâches ménagères comme des corvées. Une fois, après un dîner, Diana a regardé dans un tiroir et contemplé son argenterie, avant de déclarer : « C'est comme ça qu'ils la font… » Elle a tout relavé et repoli, avant de conclure : « Voilà comment je la fais, moi ! » Comme pour enfoncer le clou, elle a entrepris de vider tous les placards de la cuisine, sortant tout ce que son personnel avait nettoyé et le relavant jusqu'à ce que ça brille. La thérapeute se souvient combien Diana aimait nettoyer elle-même sa baignoire. Diana découvre aussi le repassage – qui doit être l'une des corvées ménagères les plus détestées. Elle prend un réel plaisir à effacer les plis, comme si elle aplanissait les difficultés de son existence. S'occuper de son intérieur donne à Diana cette raison d'être tant attendue et la rapproche également d'une certaine normalité.

Diana a un goût manifeste pour les enfantillages. Simone se souvient à quel point elle aimait les escaliers. Enfant, à Park House, elle criait de joie en glissant sur la rampe le grand escalier du hall. À Kensington Palace, elle veille à ce que les rampes soient toujours bien cirées pour augmenter la vitesse. Elle encourage ses fils à l'imiter et utilise parfois un grand plateau d'argent en guise de luge pour dévaler l'escalier.

À l'instar de bien d'autres femmes, Diana se préoccupe en permanence de sa ligne, de ses rides et du moindre signe de vieillissement. Simone et elle discutent de bains bouillonnants, d'huiles essentielles relaxantes et d'un maquillage qui pourrait la faire paraître plus jeune. La thérapeute voit la véritable Diana, la femme sous le vernis de la princesse.

Elle se souvient avec émotion d'un moment particulier passé à Kensington Palace. Diana avait ouvert la porte de l'appartement. « Je ne l'avais jamais vue ainsi. Elle avait encore un masque de beauté sur le visage, d'où émergeaient deux yeux qui me fixaient. Elle ne pouvait que dire “mmm, mmm”. Impossible de parler. Elle ne voulait pas qu'il bouge pendant le temps de pose. Mais ça s'est terminé en fou rire, et il a fini par craquer.»

Diana et Simone ont l'habitude de se promener à Hampstead Heath, en compagnie de Paul Burrell, le majordome, et de Richard Kay. «Lors de ces balades, les gens nous regardaient, voyaient Diana et montraient leur étonnement. Puis ils jetaient un œil dans notre direction et se disaient : “Non, ce n'est pas possible, ce doit être un sosie.”»

Les premiers temps de leur amitié ont parfois été mouvementés. Simone est championne pour se perdre, et son habitude de plisser les yeux trahit sa piètre vision dans la pénombre. Un après-midi, elle vient à Kensington Palace et reste discuter assez tard. Au moment de partir, elle grimpe dans sa voiture et commence une marche arrière. Diana lui court après en criant : «Arrête ! Arrête !» Simone a purement et simplement traversé le jardin, laissant de grosses traces de pneus sur le gazon.

Un soir, alors que Diana est seule dans son appartement, elle panique. Elle appelle Simone : «Il y a un mauvais esprit dans la maison !» Priée de donner des précisions, elle explique : «Il y a une drôle d'odeur. Est-ce que ça pourrait être un esprit caché et dangereux ?» Simone lui demande d'où vient l'odeur nauséabonde, mais Diana ne le sait pas. «Bon, dit alors Simone, je reste au téléphone pendant que tu la pistes. Nous allons découvrir d'où elle vient.» Téléphone sans fil à la main, Diana commence à arpenter son appartement sur la pointe des pieds. «Ça vient de mon petit salon», dit-elle, puis elle se reprend : «Non, ça vient du grand salon», et encore : «Oh, non, c'est dans la salle à manger… non, dans la cuisine.» Simone lui demande quelle est la dernière chose qu'elle y a faite. Diana ne se souvient pas de tous les détails, mais elle répond qu'elle a fait un peu de cuisine. Des sandwichs au bacon pour des amis, et du thé. Simone lui demande encore : «Et ensuite ?» «Eh bien, un imbécile de mon personnel avait oublié d'éteindre la veilleuse du gaz, alors je l'ai fait.» Simone s'étrangle : «Tu plaisantes ? Tu as éteint la veilleuse ? Elle doit rester allumée tout le temps !» «Je ne le savais pas», murmure Diana, penaude.

Simone pense que son amie doit téléphoner tout de suite à la compagnie du gaz, mais Diana n'est pas d'accord. «Si je le fais, ça sera à la une des journaux en un rien de temps.» Elle lui suggère alors d'appeler les policiers en faction devant le palais, mais Diana n'aime pas davantage cette idée, car elle implique que tous les autres résidents de Kensington Palace seront au courant de son étourderie. Finalement, Simone lui conseille d'ouvrir en grand toutes les fenêtres, de fermer la porte et de laisser un mot pour expliquer ce qui s'est passé. Diana a dû suivre son conseil, car Simone a reçu le lendemain un appel de Paul Burrell : «Tu ne me croiras jamais ! La patronne a éteint la veilleuse du gaz, mais elle a eu la présence d'esprit d'ouvrir toutes les fenêtres afin que nous ne risquions pas l'asphyxie ou l'explosion !»

Diana dépend de plus en plus de Simone et, quand celle-ci n'est pas avec elle au palais, la princesse l'appelle pour lui raconter sa journée par le menu. Durant les deux dernières années de sa vie, Simone joue à la fois le rôle de confesseur, de caisse de résonance et de sœur pour Diana.

Au début, Diana échappe à son désespoir grâce à ses coups de fil à sa nouvelle amie.

«Simone, c'est Diana. Je suis en route vers le terminal 4. J'ai tellement de choses à te dire. Mais j'imagine que tu es allée désenvoûter une maison. Bon, je pense que je pourrai rallumer mon téléphone vers 1 heure. De toute façon, je te rappelle plus tard. Je t'embrasse, Simone. Au revoir.»

La première fois qu'elle a vu Diana, Simone Simmons se souvient de tous les téléphones que contenait son sac. «Il y en avait quatre !» Si elle se trouve dans une zone où l'un des réseaux ne passe pas, Diana veut être sûre de pouvoir se servir d'un autre. Cela lui permet aussi de prendre plusieurs appels en même temps.

Son amie raconte qu'elle avait toujours besoin de communiquer ce qu'elle pensait, comment elle se sentait. Les deux femmes parlent à n'importe quelle heure du jour ou de la nuit. Les appels commencent dès les premières minutes de la matinée, à l'arrivée de son coiffeur et, une fois le courrier trié, elles discutent de nouveau. Elles bavardent encore pendant la soirée, ces conversations pouvant durer jusqu'au petit matin. Ces appels commencent à devenir obsessionnels. Il leur arrive souvent de parler jusqu'à dix ou douze heures d'affilée. Même quand Diana est à l'étranger, Simone reçoit un appel tous les jours.

«Bonjour. Désolée, j'avais Magdi au bout du fil. Je t'appelle dans la matinée. Je t'embrasse. À bientôt.»

Rétrospectivement, Simone décrit les factures de téléphone comme «phénoménales, «vraiment écœurantes, scandaleuses».

«Diana avait souvent des factures à quatre chiffres, et les miennes n'en étaient pas loin. Je pense que notre plus long coup de fil a duré plus de quatorze heures, durant lesquelles son humeur a été très changeante. Elle était très abattue au début et nous en avons parlé, puis nous sommes passées à d'autres sujets, mais elle s'est sentie déprimée de nouveau. Elle avait un grand besoin de réconfort. »

Diana s'est fait d'autres nouveaux amis. Mais il est très rare que ces personnes se rencontrent. Elles ne se connaissent généralement pas. Diana ménage des « cases » précises pour chacun, et se montre très possessive.

Roberto Devorik raconte qu'il voyait plus souvent Rosa Monckton chez Tiffany's, à Londres, où elle occupait un poste de direction, qu'au palais, alors que Rosa était l'une des plus proches amies de la princesse de Galles. Mais il n'a jamais eu l'occasion de déjeuner ou de dîner avec elle. « Il y a eu des périodes où Diana déjeunait un jour chez moi et le lendemain chez Rosa. C'était sa façon de faire. »

Diana s'investit entièrement dans ses amitiés, car elle sait qu'elle a besoin d'une famille de substitution. Tous ses proches tiennent ce rôle.

L'amitié avec Diana n'est pas une amitié ordinaire. Lana Marks, une créatrice d'accessoires de mode américaine qui s'est rapprochée de la princesse en 1996, se souvient de la manière très formelle avec laquelle Lucia Flecha de Lima, l'épouse de l'ambassadeur brésilien à Washington, s'est adressée à elle : « Elle m'a demandé si je voulais devenir amie avec la princesse de Galles, et je me suis rendu compte à cet instant de l'ampleur de la tâche. Cela ne consistait pas simplement à aller boire un café avec elle, mais à être là pour elle. »

Il y a certaines règles de base, souvent implicites. Diana peut être très exigeante, et se montrer frustrante. Elle a besoin que ses amis soient disponibles au moment où il le faut. «C'était comme si elle disait : “Je veux que tu sois là pour moi vingt-quatre heures sur vingt-quatre”, même si elle n'aurait jamais utilisé ces mots-là», résume Simone Simmons.

Ses amis deviennent des béquilles face à son sentiment d'insécurité. Elle fait sans cesse appel à eux pour se tranquilliser. Ces amitiés ne sont pourtant pas à sens unique, Diana est capable d'être là pour réconforter ses proches dans le besoin, grâce à sa compassion et à sa finesse. Mais elle a aussi une face plus sombre, qui peut gâter les relations, parfois définitivement. Elle ne veut pas perdre le contrôle des événements. Elle a du mal à admettre les critiques bien qu'elle exige l'honnêteté par-dessus tout. «Si elle avait le moindre doute ou le moindre soupçon sur la loyauté de quelqu'un, elle coupait court. Même si ce n'était qu'une impression sans fondement», explique Simone Simmons. Penny Thornton ajoute : «Si quelqu'un avançait quelque chose qu'elle n'avait pas envie d'entendre, elle considérait cela comme de la déloyauté. En d'autres termes, si elle entendait un mot qui sonnait comme une critique, voire qui n'allait pas dans sa direction, même de la part de personnes qui l'aidaient le plus et étaient le mieux placées pour cela, elle disait : “Comment peux-tu me trahir ainsi ? Tu n'es pas un ami, tu ne me soutiens pas.” C'était une manifestation de mégalomanie et d'omnipotence. Quand cela arrivait, si on ne disait pas ce qu'elle voulait entendre, on était éjecté ; si l'on faisait quoi que ce soit susceptible de ternir son aura, c'était terminé.»

Le problème de fond est que Diana ne fait confiance à personne, même pas à ses amis. Elle a une piètre estime d'elle-même et prend donc très mal la moindre critique. Année après année, elle s'est débarrassée de personnes qui ont pourtant été très proches d'elle simplement parce que, à un moment ou à un autre, elle a considéré une parole ou un geste comme une trahison. Elle s'est d'ailleurs souvent rendu compte qu'elle avait eu tort, mais elle déteste présenter des excuses. Elle prend plutôt son téléphone, lance à celui ou celle qui est soudain revenu en grâce : « Bonjour, c'est Diana. Je te dérange ? » Et elle reprend la relation là où elle était restée, comme si rien ne s'était passé.

Rosa Monckton, qui est restée proche de Diana jusqu'à la fin, évoque cette face sombre dans l'ouvrage *Requiem: Diana, Princess of Wales 1961-1997*[1] : « Comme tout animal blessé, elle pouvait être effrayante. [...] Cela venait d'un désir classique de meurtrir ceux dont elle pensait qu'ils l'avaient trahie. » Les deux femmes s'étaient perdues de vue après que Rosa eut fait des reproches à Diana sur ses bouderies lors du voyage en Corée avec Charles, en novembre 1992. Quatre mois après, Diana avait pris son téléphone et demandé à Rosa comment elle allait, sans évoquer la fâcherie.

Debbie Frank compare le comportement de Diana à une sorte de boulimie. « La boulimie est un comportement qui pousse à se gaver de façon obsessionnelle et compulsive, que ce soit d'amitié, de nourriture ou de n'importe quoi d'autre. Et puis, lorsqu'il y a trop-plein, on n'a qu'une idée, s'en débarrasser. Elle l'a fait avec beaucoup de monde au cours de sa vie, où elle a souvent changé de numéros de téléphone. »

Loin d'être soumise et désintéressée, Diana peut se montrer lunatique, indisciplinée et capable des coups les plus étonnants si elle se sent trahie ou rejetée. Elle est capable de trahir ses propres amis. « Elle l'a fait plutôt

---

1. Brian MacArthur, Arcade Publishing, New York, 1997.

deux fois qu'une, raconte Penny Thornton. Elle avait deux visages. Sa main gauche pouvait ignorer ce que faisait sa main droite. Elle vous disait quelque chose en face pour vous rassurer et agissait de manière totalement différente, dans le but de se prémunir de toutes parts. » Évoquant cet aspect d'elle-même, elle a un jour déclaré à Roberto Devorik : « Roberto, s'il te plaît, faisons en sorte de ne pas être trop proches. Tous ceux qui le sont finissent par être détruits. »

Cette attitude peut être un moyen de se protéger – mieux vaut heurter les autres avant d'être blessé soi-même. Mais elle est dévastatrice. « Diana faisait des ravages sur les gens, dit Penny Thornton. S'il y a un défaut que ceux qui l'ont côtoyée ou qui ont été proches d'elle ont souligné, c'est bien celui-là. On pouvait supporter les crises de nerfs, les constantes demandes de temps, les questions perpétuelles et cette insécurité permanente ; on pouvait supporter tout cela, mais la façon qu'elle avait de jeter ses proches était affreuse. Vraiment affreuse, car elle semblait alors ne plus avoir du tout de discernement. »

Dans ses pires moments, Diana était manipulatrice, fourbe et trompeuse. Même si ce comportement lui servait à se protéger et à survivre, il en effrayait plus d'un. Penny Thornton en a fait l'amère expérience. Confidente de Diana pendant six ans, de 1986 à 1992, il lui arrivait de lui parler au téléphone deux ou trois fois par jour. En tant qu'astrologue, elle s'est rapprochée d'elle, et des sujets intimes ont été abordés. C'était une relation basée sur la confiance. Penny voulait protéger sa cliente, mais elle s'est rendu compte que c'était sa cliente qui se déchargeait sur elle.

Penny a commencé à travailler au journal *Today* en janvier 1992. Le 9 mars suivant, elle a eu une longue conversation avec Diana, durant laquelle la princesse lui a confié que le mariage du duc et de la duchesse d'York battait de l'aile. Le 22 mars, un article du *Sunday People* a rapporté la conversation presque mot pour mot, laissant penser que Penny avait pu souffler les confidences de Diana à un ami. Sous le choc, Penny a tout de suite pris la plume pour écrire à Diana combien elle était choquée et horrifiée par l'article, et pour lui dire qu'elle n'avait aucune idée de la manière dont l'information avait pu filtrer. « Peut-être le téléphone était-il sur écoute ? » suggéra-t-elle.

Curieusement, Diana n'a jamais répondu à cette lettre. Aujourd'hui, Penny est persuadée que c'est Diana elle-même qui a distillé l'information sur Sarah et Andrew, car elle voulait que l'affaire éclate. L'article sur le naufrage du mariage a coïncidé avec la parution d'un livre de Lady Colin Campbell, intitulé *Diana in Private*, sorti en feuilleton dans le *Daily Express*. L'ouvrage était assez critique envers Diana, soulignant sa faiblesse et ses problèmes comportementaux. Diana a voulu détourner les critiques en tentant d'attirer l'attention des journaux sur autre chose, et Penny lui a servi de bouc émissaire. Une relation qui avait été solide pendant six ans a été jetée aux orties. Diana a consenti à ce sacrifice afin de se protéger, indifférente au risque d'humiliation publique des protagonistes. « Elle était manipulée et manipulait à son tour, conclut Penny. C'était vraiment une intrigante. Elle complotait et pensait prendre chacun à son propre jeu. Elle avait été blessée et discréditée, et elle avait décidé de ne pas se laisser faire, de ne plus rien supporter. Elle jouait sur le même terrain que les médias et même si, d'une certaine manière, on ne pouvait pas lui en vouloir, elle était incapable d'estimer les choses à leur juste valeur. Elle ne reconnaissait pas la vraie loyauté et la réelle confiance. »

On a souvent dit de Diana que son rapport à l'argent était « étrange ». La vérité est qu'elle n'avait aucune idée de ce que signifiait l'argent, de sa valeur. Elle oubliait que les gens « normaux » avaient des loyers et des factures à payer. Elle aimait par exemple donner des cadeaux au lieu d'argent liquide.

Penny Thornton explique que Diana et elle n'ont jamais parlé d'argent, pas plus qu'elle n'a présenté la moindre facture à la princesse. Après leur premier rendez-vous, Diana lui offrit une petite boîte en argent ornée d'une abeille, puis lui fit envoyer des fleurs. Il fut dès lors entendu que les questions d'argent seraient réglées de la sorte.

Simone Simmons raconte pourtant qu'elle a une fois envoyé à Diana une facture de six cents livres pour trois mois de traitement. Diana l'a appelée et lui a dit : « Mais qu'est-ce que c'est que ça ? Il faut que nous en parlions. » Simone s'est rendue au palais et lui a expliqué que le traitement devait être réglé car elle vivait de cela, et que leur rencontre s'était opérée sur des bases professionnelles. Plutôt que de payer la note, Diana a offert à Simone un lecteur de CD. « Je n'en ai aucune utilité », lui a dit Simone. « Eh bien, comme cela tu pourras écouter de la musique dans toutes les pièces de ton appartement... » Diana n'avait bien sûr jamais mis les pieds chez Simone, elle n'avait aucune idée de l'exiguïté de son appartement. Simone n'avait absolument pas besoin d'un second lecteur de CD. Finalement, la facture a été déchirée car Simone ne voulait pas mettre en péril leur amitié. Comme elle, nombre de thérapeutes de Diana n'ont jamais vu la couleur d'un règlement.

Diana était d'humeur changeante. Quand elle estimait que les choses n'avaient pas été faites comme elles auraient dû l'être, elle serrait les poings sur ses hanches, devenait rouge écarlate et criait comme une gamine colérique de quatre ans. Enfant, à Park House, elle utilisait ce qu'elle apprenait dans ses cours de théâtre pour attirer l'attention. Adulte, rien n'a vraiment changé.

Et cet aspect extrême de son caractère ne s'exprimait pas seulement dans ses relations amicales. Elle jouait sur le même registre avec les hommes.

6

« Je suis détruite, je suis détruite ! »

Un jour de janvier 1994, à Chelsea, le téléphone sonna au domicile du riche marchand d'art Oliver Hoare.

« Bonjour, dit-il. Qui est à l'appareil ? »

Il n'eut d'autre réponse qu'un étrange et inquiétant silence. Ce n'était pas le premier coup de téléphone anonyme à son domicile. Il y en avait déjà eu toute une série. Les enquêteurs de la police s'employaient d'ailleurs à en repérer l'origine ; et leur piste les conduirait à Kensington Palace.

Il arriva à Hoare de céder à l'exaspération et de hurler dans le combiné : « C'est toi, Diana ? » À l'autre bout du fil, quelqu'un pleurait. Puis on raccrocha. À la suite de cet incident, les appels cessèrent pendant quelques jours, avant de reprendre de plus belle.

Oliver Hoare avait dirigé le département d'Art islamique chez Christie's, à Londres. Il exerçait désormais comme marchand dans cette même spécialité. Il avait fait la connaissance de Diana dix ans plus tôt, lors d'une réception chez les Windsor au cours de laquelle il s'était lié d'amitié avec le prince Charles. Les deux hommes s'étaient découvert une même fascination pour la mystique religieuse orientale.

En 1991, alors que le mariage du prince et de la princesse de Galles battait sérieusement de l'aile, on dit que Hoare avait essayé d'aider Diana à mieux comprendre Charles. Puis il avait abandonné ses efforts, voyant que la séparation était inévitable. En 1992, Diana s'était entichée de lui. Et lui-même, semblait-il, était tombé sous le charme de la princesse.

Grâce à Oliver Hoare, Diana allait rencontrer une femme appelée à figurer au premier rang de ses confidentes dans les dernières années de sa vie : Elsa Bowker.

Lady Elsa Bowker, aujourd'hui disparue, vivait à Chelsea, à l'est de Sloane Square, dans le quartier chic et opulent de Belgravia. Née au Caire d'une mère française et d'un père libanais, elle épousa après la Seconde Guerre mondiale un diplomate britannique du nom de James Bowker. Le couple vécut en Birmanie, en France, en Allemagne et en Espagne, avant de revenir s'établir en Angleterre. Sur les murs de son appartement, on pouvait admirer deux huiles de belle taille la représentant en compagnie de son défunt mari ; de nombreuses photos prises dans l'exercice de leurs fonctions officielles en côtoyaient d'autres, témoignages de moments insouciants de leur jeunesse.

L'endroit était généreusement meublé et décoré. L'atmosphère y était imprégnée de somptueux parfums. Sur une table ronde, s'amassaient des centaines de petites boîtes joliment peintes et ornées. Chaque pièce respirait la richesse et le bon goût.

Lady Bowker était dotée d'un esprit indomptable. Quelques années avant sa mort, sa voix retentissait encore d'un tempérament passionné. On devinait que cette femme avait pris la vie à bras-le-corps. Ses yeux espiègles brillaient parfois d'une telle malice qu'on en oubliait son âge. À quatre-vingts ans passés, son agenda demeurait chargé de rendez-vous, gage d'une popularité intacte.

Elle en vint bientôt à incarner pour Diana une figure maternelle.

Lady Bowker avait connu le père de Diana, Johnnie Spencer. Elle avait du reste rencontré Diana adolescente à Althorp, le fief des Spencer, dans le Northamptonshire. Elle la revit fin novembre 1993. Elle l'avait invitée à dîner en compagnie d'Oliver Hoare. C'était au temps où le mariage de Hoare était mis à mal par sa relation avec la princesse.

Cette relation dura trois ans. Trois années durant lesquelles le comportement de Diana trahit une instabilité profonde caractéristique de ses rapports avec autrui. La princesse cédait en particulier à ses obsessions téléphoniques. Elle commençait à appeler Hoare dès 8 heures du matin, et pouvait le relancer même après minuit. Elle le dérangeait plus de vingt fois par semaine. Barry Hodge, l'ancien chauffeur de Hoare, affirma le 26 février 1995 dans *News of the World* qu'il lui arrivait même de téléphoner jusqu'à vingt fois par jour.

Roberto Devorik décrit en ces termes l'insatiable appétit d'amour de son amie Diana : « Elle n'en avait jamais assez. Elle faisait penser au pauvre type subitement devenu millionnaire, et qui a peur de dépenser le moindre centime de sa fortune toute neuve parce qu'il se rappelle les jours où il n'avait même pas de quoi payer sa note d'électricité. »

Quand elle voyait qu'une relation peinait à évoluer, Diana ne savait pas y mettre un terme. Elle en était incapable. Jamais elle ne pouvait se décider à prendre du recul. Au contraire, elle se laissait gagner par la panique, et se jetait alors sur son téléphone pour interroger tout le monde et n'importe qui, en quête d'une oreille disponible ou d'un conseil.

Son imagination nourrie d'angoisse et d'insécurité la poussait à poursuivre ceux qu'elle aimait de façon obsessionnelle. Ses amants en savaient quelque chose : elle les harcelait littéralement. D'après Simone Simmons, elle pouvait rester des heures devant chez Oliver Hoare pour essayer de le voir, quand bien même elle n'y gagnait rien d'autre qu'un maigre regard.

Mais sa peur compulsive de perdre les êtres aimés allait plus loin encore. Diana s'efforçait toujours d'en apprendre le plus possible sur l'univers de l'homme qui l'intéressait – son travail, ses passions, ses habitudes – pour tenter de se rendre plus désirable à ses yeux. Avec Oliver Hoare, c'était la philosophie islamique. Avec James Hewitt, ce fut la guerre du Golfe : elle écouta toutes les émissions de radio et de télévision sur le sujet, sans parler des gros ouvrages de stratégie militaire qu'elle se contraignit à digérer.

Diana accordait une extrême attention aux figures maternelles. Elle cherchait toujours à gagner l'amitié de la mère de son amant. Elle rendit ainsi visite à la mère d'Oliver Hoare, à Londres, et à celle de James Hewitt, dans le Devon.

Lorsque la relation rencontrait des difficultés, Diana avait recours à des intermédiaires pour tenter d'arranger les choses. Il semble qu'un ami journaliste ait eu pour mission de remettre lui-même des lettres à James Hewitt dans le golfe Persique pendant la guerre. Lady Elsa Bowker affirmait avoir fini par jouer elle aussi les bons offices entre la princesse et Oliver Hoare.

Non sans tristesse, Elsa se rappelait à quel point l'échec d'une relation pouvait rendre Diana plus malheureuse encore. Le sentiment d'abandon et d'insécurité de la princesse n'en était que plus profond. Plus elle se sentait rejetée, plus elle devenait exigeante envers les hommes. Car elle aimait en fait d'une façon totalement possessive. « Quand Diana était amoureuse, racontait Elsa, la personne qu'elle aimait devait renoncer à sa propre famille, à ses enfants, à sa situation, à tout. Cette personne devait vivre pour elle et uniquement pour elle. J'ai expliqué à Diana que c'était chose impossible. Aucun homme ne peut renoncer à tout. »

En pareil cas, Diana pouvait également céder à des conduites d'autodestruction. Elle était capable de se lacérer la peau avec une fourchette. Ce genre de stigmates étaient encore visibles en 1994 sur ses bras, ses jambes, sa poitrine. Bien sûr, le fait de s'infliger des blessures qui touchaient à son apparence physique était pour elle un moyen de tenter de régler ses souffrances intérieures et ses conflits émotionnels. Mais il y avait plus. En agissant de la sorte, elle espérait aussi que quelqu'un – n'importe qui – la remarquerait et lui accorderait au moins quelque attention. Elle affichait une humeur extrêmement changeante, au point de montrer parfois une étonnante instabilité émotionnelle.

Lady Bowker se souvenait d'un certain dimanche. Elle s'apprêtait à se rendre à l'église. Le téléphone sonna. C'était Diana qui insistait pour la voir à la minute même. Lady Bowker répondit qu'elle était en train de partir pour la messe, qui serait suivie d'un déjeuner. Mais elle acceptait bien volontiers de recevoir Diana à son retour, en milieu d'après-midi.

Diana arriva comme convenu. Elle sonna à la porte. Lady Bowker, qui était à l'étage, descendit l'accueillir. C'est alors qu'elle entendit des sanglots dans l'entrée.

Elle pressa le pas. Elle trouva Diana au rez-de-chaussée, décomposée. Elle la prit dans ses bras :

« Qu'y a-t-il ? » lui demanda-t-elle. « Je suis détruite, lui répondit Diana. Je suis détruite ! »

Lady Bowker la fit entrer. Elle racontait que Diana pleurait tellement qu'elle épuisa cinq pleines boîtes de mouchoirs. Ses sanglots, paraît-il, étaient si forts et déchirants qu'ils résonnèrent dans tout l'immeuble. Elle venait de s'apercevoir que son entichement pour Oliver Hoare ne serait jamais payé de retour. Ses espoirs d'être aimée de lui étaient ruinés. « Ce jour-là, commenta Lady Bowker, j'ai bien cru qu'elle allait se tuer. »

Elle refusa de laisser Diana rentrer à Kensington Palace tant que ses pleurs ne seraient pas apaisés. Elle lui arracha aussi la promesse de ne pas faire de bêtise. Cependant, Lady Bowker fut frappée au plus haut point par le changement qui s'opéra. L'explosion de chagrin céda soudain la place à un visage rayonnant. L'humeur de Diana s'était complètement modifiée. Les flots de larmes n'étaient plus de mise ; ils s'étaient mués en éclats de rire.

Le lendemain de cet incident, Lady Bowker apprit par un ami que Diana avait passé la fin de l'après-midi à faire les boutiques et à rire « à en perdre haleine », tandis qu'avec la dernière insouciance elle achetait des chemises et des cravates chez Turnbull & Asser. Une autre fois, Diana se rendit à un dîner avec Lady Bowker et trois autres amis. Diana était alors dans une « forme olympique ». Elle riait joyeusement. Mais Lady Bowker découvrit ensuite qu'elle avait quitté la réception à un moment de la soirée pour aller à Regent's Park pleurer toutes les larmes de son corps.

Diana en vint à se persuader qu'elle était condamnée à voir ses histoires d'amour s'achever dans la trahison et la douleur. Elle vivait en permanence avec l'impression que ses sentiments n'étaient pas récompensés, et qu'elle ne parvenait pas à obtenir ce qu'elle désirait le plus au monde. Elle était convaincue de n'être jamais aimée pour elle-même. Elle ne pouvait commencer une nouvelle relation sans être en demande, comme au début de sa vie affective.

L'une des stratégies qu'elle développa, pour gérer ses difficultés émotionnelles, consista à contrôler tous les aspects de sa vie qu'elle *pouvait* contrôler. C'est ainsi qu'elle s'employa à viser la perfection dans tout ce qu'elle faisait, de manière à susciter l'approbation des autres et d'elle-même. Cette attitude simpliste plongeait ses racines dans le sentiment de rejet qui avait marqué son enfance, et n'avait fait que croître avec le temps. Mais un tel manque de confiance en soi signifiait peut-être aussi qu'elle n'était jamais parvenue, jusqu'alors, à recueillir assez d'approbation pour effacer son sentiment d'échec.

Pour faire face à ses problèmes, Diana choisit aussi de s'investir dans des actions que les gens admiraient – et dont on retire soi-même le sentiment de valoir quelque chose. Ainsi les autres y verraient une raison de l'aimer. À certains égards, les œuvres de charité dont elle s'occupa lui permirent de trouver une issue. Ainsi que divers autres projets ambitieux. C'est pourquoi elle s'y lança littéralement tête la première.

Roberto Devorik raconte qu'elle lui infligea des épreuves terribles. « Nous allions dans des hôpitaux rendre visite à des gens brûlés au dernier degré, certains n'avaient plus de visage… Diana arrivait à les toucher, à les embrasser, alors que j'en étais incapable. Je n'y arrivais pas. Même si j'étais vraiment désolé pour eux. Il faut avoir les tripes pour ça. Elle était fascinante.

Un jour que nous sortions d'un hôpital, je lui dis : "Diana, comment peux-tu faire ça ?" Elle m'a répondu : "Je ne sais pas, Roberto. Mais c'est quelque chose qui m'apporte la paix. Et me rend tellement plus forte." »

Ses actions humanitaires étaient payées de retour. Selon Debbie Frank, « elle possédait ce don de communiquer avec toute personne qui était dans le malheur. Il y avait là un lien très profond. D'une façon ou d'une autre, elle sentait que ces gens comprendraient sa souffrance à elle, et elle comprenait la leur, incontestablement. Alors toutes les barrières tombaient. Elle éprouvait une empathie instinctive envers les êtres blessés, envers les victimes, envers tous ceux qui souffraient. Parce qu'elle avait beaucoup souffert, *elle aussi*. »

D'après Penny Thornton, un schisme était en train de se produire entre l'admiration que Diana suscitait et l'anxiété dont elle souffrait. « Elle était adulée pour ce qu'elle était et pour ce qu'elle portait. En même temps, elle avait toujours le sentiment de n'être pas réellement aimée pour elle-même. Cela creusait un fossé entre succès et accomplissement personnel. D'un côté, elle était parfaitement capable d'affronter le monde réel, mais de l'autre, sa vie privée était un chaos qui lui renvoyait une piètre image d'elle-même. Elle se détestait même, en fait. Plus elle avançait en âge, plus il y avait un gouffre entre la façon dont elle se percevait et les succès qu'elle rencontrait. Ce problème n'a jamais pu être résolu, même avec l'aide de thérapeutes nombreux et talentueux. »

Penny Thornton était persuadée que la vie émotionnelle de Diana était à peu près aussi obscure et insondable que le Loch Ness. Personne, selon elle, ne pouvait combler un sentiment de vide aussi profond. « Avec les années, ce vide n'a fait que se creuser toujours davantage. Elle était douée. Elle savait se débrouiller toute seule, tracer sa route, mener sa vie de façon indépendante. Et elle n'a cessé de rencontrer toujours plus de succès dans sa vie publique. Et pourtant, elle continuait de céder à des conduites irrationnelles quand ses liaisons tournaient mal. Le chaos que ça déclenchait bien souvent prouvait qu'il subsistait un problème non résolu, qui ne faisait qu'empirer. Son activité et sa vie privée se situaient aux deux extrémités du spectre. Entre les deux, il n'y avait rien. Rien que ce vide immense qu'elle essayait sempiternellement de combler. »

Quand le scandale du « harcèlement téléphonique » dont il fut victime éclata en août 1994, Hoare choisit de ne rien dire. En février 1995, quand Barry Hodge, son ancien chauffeur, fit des révélations à *News of the World* au sujet d'une liaison entre Diana et Hoare, celui-ci s'abstint encore de tout commentaire.

Un jour, il appela Lady Bowker à Belgravia.

« Vous êtes là ? dit-il. J'aimerais venir vous confier une lettre pour Diana. »

Il arriva avec la lettre, ainsi qu'une boîte de boutons de manchette ayant appartenu au père de Diana. Il souhaitait que Lady Bowker remette le tout à la princesse. Au même instant, Lady Bowker reçut un appel de Diana. Celle-ci s'ouvrit de ce qu'elle ressentait. Elle aurait voulu, expliqua-t-elle, que Hoare quitte femme et enfants pour elle. Mais tous ses espoirs de vivre avec lui s'étaient effondrés désormais. Lady Bowker répondit à Diana en lui parlant de la lettre et des boutons de manchette. La princesse dit qu'elle allait envoyer son majordome les chercher. Paul Burrell viendrait récupérer les boutons de manchette. Mais pas la lettre. La lettre, Diana ne voulait pas la lire.

Quatre jours plus tard, nouvel appel de Diana. Lady Bowker lui parla à nouveau de la lettre.

« Déchirez-la, voulez-vous ? lui demanda Diana.

— Vous ne voulez pas la lire ?

— Non ! »

Diana enchaîna en disant que les boutons de manchette lui étaient bien parvenus par les soins de Paul Burrell. Lady Bowker fit une nouvelle tentative : « Vous ne pouvez pas déchirer sans plus d'explication la lettre d'un homme que vous avez tant aimé ! »

Mais Diana demeura inflexible.

Peu après, Oliver Hoare rendit à nouveau visite à Lady Bowker, et lui demanda si sa lettre avait bien été remise à Diana. Lady Bowker ne put que lui dire la vérité : la princesse n'en avait pas voulu.

Lady Bowker, alors, ouvrit la lettre. « Une belle lettre, dit-elle. Oliver remerciait Diana de lui avoir fait cadeau des boutons de manchette. Mais il lui était impossible de les garder. Ils étaient trop précieux. »

En février 1995, Diana avait presque trente-quatre ans. Elle avait eu des amis et des amants. Et dans sa quête incessante d'une relation amoureuse durable, elle s'était liée à des gens qui venaient d'horizons fort différents. Avec Oliver Hoare, comme avec beaucoup d'autres, elle avait échoué à trouver un avenir. Mais l'épisode lui avait permis de s'intéresser aux mystères de l'Orient et à une région du monde qui exerçait sur elle une puissante fascination.

Diana, en principe, ne se passionnait pas pour la religion. Pourtant, durant sa liaison avec Hoare, elle se laissa captiver par la philosophie islamique. Elle prêta notamment une grande attention au soufisme, la mystique inhérente à l'islam, dont le message « Paix avec tous» avait de longue date rapproché les musulmans des autres peuples. Il existe une photo d'avril 1994 montrant Diana aux sports d'hiver à Lech, en Autriche, en train de lire sur le balcon de son chalet *À la découverte de l'islam*, un ouvrage d'Akbar Ahmed, professeur à l'université de Cambridge.

Sa relation avec Oliver Hoare l'avait amenée à dévorer tout ce qu'elle trouvait sur la culture orientale. Elle ne se serait peut-être pas plongée dans cet univers si elle n'avait pas fréquenté Hoare, mais le fait est qu'elle continua de s'intéresser au sujet quand bien même ils cessèrent de se voir.

L'Orient faisait désormais partie de sa vie. Un peu plus de huit mois après, elle rencontra un homme qui l'attira, et qui appartenait lui-même à cette culture dans laquelle elle baignait. Cet homme allait donner un nouvel élan à la vie de Diana. Sa puissante influence permettrait à la princesse de se reconstituer. Il devait l'aider à rompre ce cercle vicieux de l'insécurité qui la hantait depuis si longtemps.

DEUXIÈME PARTIE

PRÉLUDE À UNE HISTOIRE D'AMOUR

Même à l'époque où elle fréquentait Oliver Hoare, l'intérêt de Diana pour le mysticisme et la culture orientale n'était pas le fruit d'un caprice. Il plonge ses racines dans son passé. Seul le recul du temps nous permet de commencer à comprendre pourquoi le Pakistan a pris une telle importance pour elle.

7

« Comment puis-je apporter mon aide ? »

C'est un magnifique matin de juillet 1990, neuf ans après le mariage de Diana, un an avant qu'elle ne rencontre le marchand d'art islamique Oliver Hoare. Le professeur Akbar Ahmed, de la faculté d'Études orientales, est assis dans son bureau de Selwyn College, à Cambridge, lorsque le téléphone sonne.

Trois ans plus tôt, le professeur Ahmed a été convié par le gouvernement du Pakistan et le Selwyn College à accepter la bourse Iqbal à Cambridge. Depuis, il prend part au débat sur l'islam, en particulier sur son avenir en Grande-Bretagne. Son implication dans ce débat coïncide avec l'arrivée d'une lettre, datée du 27 juin 1990, à la direction londonienne de l'Institut royal d'anthropologie. Elle émane du secrétaire privé de Diana de l'époque, Patrick Jephson, et est adressée au directeur de l'Institut, Jonathan Benthall. Elle informe ce dernier que la princesse accepterait avec plaisir une invitation de l'Institut de Fitzroy Street et serait ravie d'assister à un exposé sur l'islam.

Jonathan Benthall, qui connaît déjà Akbar Ahmed, appelle immédiatement le professeur à Cambridge et lui fait part de la requête de la princesse de Galles.

Il lui demande s'il est prêt à faire cet exposé. Le professeur accepte aussitôt. Même s'il n'a jamais rencontré la princesse, il est très content et excité à l'idée de converser avec une personne si éminente et renommée. Les deux hommes conviennent qu'une introduction à l'islam est appropriée pour ce rendez-vous.

Deux mois plus tard, le jeudi 13 septembre 1990, le professeur Ahmed prend le chemin de l'Institut royal d'anthropologie, sur Fitzroy Street, vêtu du traditionnel *shalwar kameez*. Akbar Ahmed est curieux de rencontrer Diana. «J'avais le sentiment que c'était une personne intelligente, même si les médias lui en faisaient voir de toutes les couleurs.» La conférence doit se dérouler dans un bureau, au rez-de-chaussée de l'Institut. Diana arrive à 15 h 30 et s'installe au premier rang, juste en face de l'écran.

Le professeur Ahmed décrit la scène comme hautement mémorable, non seulement parce qu'il était incongru pour un membre de la famille royale d'assister à ce genre d'événement, mais parce que Diana était assise sur une chaise alors que l'orateur se tenait *au-dessus* d'elle, debout.

Au moment de cet exposé, les tensions dans le Golfe sont à leur comble. Cinq semaines auparavant seulement, le 2 août, Saddam Hussein a envahi le Koweït et les journaux anglais sont teintés de ressentiment contre le monde musulman. Ne connaissant pas la princesse, Akbar Ahmed ne sait pas comment son discours va être perçu. Mais il n'a pas à se faire de souci. Même si Diana est habillée de manière stricte – un tailleur blanc à rayures –, Akbar Ahmed se souvient encore à quel point elle a réussi à mettre tout le monde à l'aise. Son attitude et son regard concentrés témoignent de la grande attention qu'elle porte à l'exposé. L'anxiété de l'orateur disparaît instantanément.

«J'ai trouvé absolument bouleversante la combinaison de son incroyable présence physique, de sa vulnérabilité et de sa timidité», admet-il. Le professeur Ahmed décide alors d'attaquer de manière moins solennelle que prévu. «J'ai commencé par dire que si le membre de la famille royale s'attendait à ce que je sorte de mon vêtement traditionnel un exemplaire des *Versets sataniques* pour le brûler en public, il risquait d'être déçu ! J'ai vu l'ombre d'un sourire sur le visage de Diana, et ça a donné le ton pour le reste de la conférence.»

Le professeur Ahmed conteste l'image stéréotypée qui fait de l'islam une religion de brûleurs de livres, de preneurs d'otages et de terroristes. Plutôt que de développer des arguments politiques, il choisit de raconter à la princesse une ou deux histoires à propos du Prophète – il espère qu'elles la toucheront et éclaireront l'islam d'un jour nouveau.

«Je lui ai parlé de la douceur et de la gentillesse légendaires du Prophète, en particulier envers les femmes et les enfants. D'ailleurs, dans les premiers temps de l'islam, il était en butte à beaucoup d'hostilité à La Mecque. Une vieille femme, en particulier, attendait son passage sous sa fenêtre et, chaque fois qu'il empruntait sa rue, lui jetait des excréments et des ordures. Un jour, il passa sans que la femme se manifeste. Le Prophète prit de ses nouvelles et on lui apprit qu'elle était bien malade. Il alla immédiatement lui rendre visite, la questionna sur sa santé et lui demanda comment il pouvait l'aider. La vieille femme éclata en sanglots : personne ne s'était soucié d'elle alors qu'elle était malade, sauf l'homme qu'elle n'avait cessé de chercher à humilier. Ce jour-là, elle se convertit à l'islam. »

Akbar Ahmed poursuit en mettant à mal nombre de stéréotypes concernant les relations hommes-femmes dans la religion musulmane. « J'ai parlé du profond respect que les hommes portent aux femmes. Dans les médias occidentaux, l'islam est décrit comme la religion de la détestation des femmes, de la maltraitance des épouses, des harems, mais la vérité, c'est que les musulmans sont très respectueux de leurs épouses. Elles jouissent d'un très haut statut, ce qui est observable dans l'histoire depuis l'époque du Prophète. J'ai parlé à Diana du sérieux avec lequel le mariage est considéré dans l'islam. C'est le fondement de la société, un terreau solide pour les enfants et la garantie que l'essentiel des valeurs familiales sera transmis aux générations suivantes. Même si le divorce existe, on encourage la stabilité, la cohésion et le respect mutuel. »

Le professeur Ahmed souligne plusieurs aspects de la religion qui ont une grande résonance chez Diana. Tout d'abord, il aborde la compassion, sujet peut-être le plus délicat étant donné les sentiments de l'opinion publique à cette époque. « Cela a semblé soulever un grand intérêt chez notre hôte royale », note Akbar Ahmed. Ensuite, il parle de l'islam en tant que cœur de la structure familiale, de l'attention portée aux femmes et du respect dû aux mères. Si l'on a en mémoire la propre enfance de Diana et l'effondrement de son mariage à cette époque, on comprend sans peine que les paroles d'Akbar Ahmed aient eu un grand impact sur elle.

Après la conférence, chacun est persuadé que Diana va filer aussitôt vers d'autres obligations. Mais elle reste un moment pour échanger quelques mots avec le professeur Ahmed. « Elle s'est approchée de moi, signifiant aux autres qu'il s'agissait d'une conversation privée, et m'a dit : "Comment puis-je apporter mon aide ? Comment puis-je contribuer à approfondir la compréhension entre l'islam et l'Occident ? Quel peut être mon rôle ?" » Akbar Ahmed, touché par ce discours, lui répond : « Je pense que vous pouvez jouer un grand rôle. Il y a beaucoup d'incompréhension et il faut changer cela. Seul quelqu'un comme vous est à même de le faire. »

Il reconnaît avoir été étonné par l'intervention de Diana. « Vue de l'extérieur, c'était une princesse britannique classique, élevée dans un certain milieu et complètement coupée du monde islamique. La famille royale n'est pas connue pour s'intéresser particulièrement aux sujets mystiques ou au soufisme. Je crois que le respect, l'amour et la compassion envers les femmes musulmanes ont touché une corde sensible chez elle. »

Le professeur ne peut pas savoir à quel point cette corde est effectivement sensible, même s'il a lu beaucoup de choses à propos de Diana, et se montre assez fin pour comprendre que des raisons personnelles se cachent derrière sa curiosité. « Quand on y repense, 1990 est le moment où les tensions dans son mariage commencent à apparaître au grand jour. Il y a pu avoir un écho avec la civilisation dont on lui parlait, où les femmes ont une place, et où l'on fait preuve à leur égard de l'attention et de l'amour qu'elles méritent. » Akbar Ahmed continue : « J'ai le sentiment que cela a créé chez elle une petite étincelle, un intérêt pour l'islam lui-même. Ça l'a obligée à reconsidérer sa vie et à en conclure que, peut-être, certaines de ses valeurs, certaines des choses en quoi elle croyait ou qu'elle respectait à ce moment-là, n'étaient finalement pas les plus importantes. »

Il est aussi possible que cet intérêt pour cette conférence soit lié au départ imminent de James Hewitt pour le Golfe. Depuis l'invasion du Koweït, cinq semaines plus tôt, Diana craint que l'unité de James Hewitt, les Life Guards, ne soit envoyée sur le champ de bataille. Elle l'a appelé régulièrement durant l'automne, quand il était cantonné en Allemagne. En janvier 1991, alors que les États-Unis, la Grande-Bretagne et les autres alliés se préparent à attaquer l'Irak, Diana écoute les bulletins d'informations à la radio et à la télévision dès qu'elle en a l'occasion.

Ce n'est pas sa dernière rencontre avec Akbar Ahmed. À la suite de la conférence, le professeur reste en contact avec Patrick Jephson, le secrétaire privé de la princesse. Ils se téléphonent de temps en temps et déjeunent ensemble à Cambridge. Peu avant une visite d'État que Diana doit effectuer en solitaire au Pakistan, Jephson prévient le professeur Ahmed que Diana souhaite qu'il l'aide à préparer ce voyage.

Un an après la conférence à l'Institut royal d'anthropologie, à la mi-septembre 1991, Akbar Ahmed rencontre de nouveau la princesse. Cette fois, c'est elle qui le reçoit, à l'heure du thé, à Kensington Palace. Le professeur a d'ailleurs bien failli se tromper d'adresse ! Le chauffeur de taxi qui le conduisait, certain de savoir où se trouvait Kensington Palace, l'a emmené tout droit à… Buckingham Palace ! Malgré tout, il est arrivé avec quelques minutes d'avance.

Akbar Ahmed se souvient de l'accueil chaleureux de Diana, qui le reçoit de manière informelle. « Elle était habillée de façon décontractée, d'un jean et d'un chemisier. » Diana explique au professeur qu'elle a besoin de ses conseils pour préparer son voyage au Pakistan. Le déplacement était prévu l'année précédente, Diana ayant accepté une invitation de Benazir Bhutto. Mais il avait dû être reporté après le renversement du gouvernement Bhutto, le 6 août 1990, et la dissolution de son parti, vieux d'à peine vingt mois, par le président Ghulam Ishaq Khan.

La visite est prévue sans Charles, ce qui est une manière de tester ses capacités diplomatiques. Diana est soucieuse de respecter le cérémonial, particulièrement dans cette société dominée par les hommes. Elle veut savoir ce qu'elle doit porter, la longueur que doivent avoir ses robes, comment elle doit s'exprimer, ce qu'elle doit dire ou faire.

Le récipiendaire de la bourse Iqbal lui conseille, dès qu'elle en aura l'occasion, de citer le poète national pakistanais – qui n'est autre que Allama Mohammed Iqbal –, et ce vers en particulier : « Tant de gens partent à l'aventure dans les jungles à la recherche de quelque chose, mais je ne deviendrai le serviteur que de celui qui aime l'humanité. »

8

« Connaissez-vous Imran Khan ? »

Les échoppes colorées débordent de nourriture, tandis que résonnent dans l'air les coups de marteau des artisans occupés à donner forme à l'étain, au cuivre et à l'argent. Le flot humain est ininterrompu. Toute une civilisation qu'on croyait disparue continue de se déplacer avec peine au milieu de cette cohue de chevaux, d'ânes et de charrettes. Voici Lahore, vieille cité enfermée dans ses murs – un dédale de ruelles étroites, tortueuses, comprimées par un rempart de neuf mètres de haut jouxtant le vieux fort et la mosquée Badshahi. Le décor semble n'avoir pas changé depuis l'ère des empereurs moghols. L'atmosphère du vieux Lahore est toujours imprégnée de leur histoire, de leurs amours et de leurs tragédies.

Quand on sort de la vieille cité, on découvre une autre Lahore : une ville foisonnante, moderne, peuplée de millions d'habitants, étouffée par la circulation. Ici, les disparités sont criantes. D'un côté, la riche minorité réside dans des villas néoclassiques, se déplace en voiture avec chauffeur et envoie ses enfants dans des écoles privées ; de l'autre, une majorité désespérément pauvre végète dans les dédales de ses quartiers misérables, et n'aurait aucune intention d'envoyer sa progéniture à l'école, quand bien même l'école serait libre et gratuite, tant les familles ont besoin du travail des enfants pour survivre.

Le 22 septembre 1991, peu après avoir été préparée à ce voyage par le professeur Ahmed autour d'un thé à Kensington Palace, Diana s'envole pour le Pakistan où l'attend une visite d'État de cinq jours. Sa venue a plongé le pays dans un bouillonnement d'excitation. Son visage s'affiche partout : sur les murs, sur les portières des taxis et sur les pousse-pousse à moteur. Les coiffeurs proposent à leurs clientes des coupes « Princesse Diana », dernière mode chez les jeunes Pakistanaises. La princesse apparaît à la porte de l'avion vêtue d'une robe de soie verte. Elle est l'hôte, ce soir-là, de Ghulam Ishaq Khan, le président pakistanais, qui la place à sa droite lors du dîner officiel. Après le discours de bienvenue, Diana suit le conseil du professeur Ahmed et lit un texte écrit par elle contenant une citation d'Iqbal. À l'évidence, ses hôtes sont impressionnés d'entendre la princesse prononcer les mots du poète ; le lendemain, l'anecdote fait les gros titres de tous les journaux.

Le séjour de Diana commence par une visite de la vieille ville de Lahore. Son itinéraire comprend diverses étapes, dont la mosquée Badshahi, immense lieu de prière que nul ne saurait voir sans être frappé de stupéfaction. C'est une des plus grandes mosquées du monde, avec ses quatre minarets lancés vers le ciel et ses trois dômes de marbre monumentaux. Sa cour intérieure peut accueillir au moins six mille fidèles.

C'est au coucher du soleil que le bâtiment est le plus spectaculaire, quand une lumière rougeoyante se réfracte sur les dômes et les transforme en brasiers, tandis que toute chose alentour est subitement précipitée dans l'ombre.

Avant de gagner la mosquée, Diana s'inquiète de l'étiquette, et en particulier des règles vestimentaires en vigueur. Elle porte un foulard, mais sa robe lui arrive aux genoux. Aussi demande-t-elle à son accompagnatrice officielle si la toilette occidentale qu'elle a choisie convient à la visite d'un lieu saint à ce point célèbre et vénéré ; on lui répond qu'il n'y a pas de problème. À son arrivée, Diana est reçue par l'imam qui lui montre les murs sacrés tandis qu'ils traversent ensemble la cour intérieure.

Comme le professeur Ahmed, l'imam s'intéresse à la princesse. Il la voit comme une figure susceptible de rapprocher les musulmans et les chrétiens. Il l'informe que, durant les croisades, les chefs musulmans et chrétiens ont distillé chez leurs fidèles respectifs une haine sanglante. Il est indispensable, dit-il, de jeter des ponts par-dessus la haine, et de réaliser l'unité.

L'imam donne ensuite à la princesse douze livres, dont un exemplaire du Coran contenant des notes explicatives, et un ouvrage sur le prophète Mahomet. Diana prend congé de l'imam en lui promettant de tout lire. Elle est résolue, affirme-t-elle, à étudier l'islam, et à faire de son mieux pour le rapprochement entre musulmans et chrétiens.

Elle fait ensuite observer à son accompagnatrice officielle que l'imam ne s'est pas offusqué de la robe qu'elle portait. « Il s'est montré fort aimable, dit-elle aussi, et très gentil. »

« Bien sûr, Votre Altesse, répond l'accompagnatrice. Il ne s'est pas offusqué d'une robe courte, et grand bien lui fasse. Il faut que les peuples aux religions très conservatrices rencontrent des gens venus de partout ailleurs, vêtus de diverses façons et habitués à d'autres modes de vie. C'est ainsi que se comblera le fossé et que se construiront des ponts entre nous. »

Aux dires de toutes les personnes présentes, cette réponse est appréciée de Diana qui se sent rassurée. Le lendemain cependant, des mollahs radicaux descendent dans la rue. Ils s'indignent de la robe courte de la princesse et reprochent avec véhémence à l'imam d'avoir remis un exemplaire du Coran à une non-musulmane. L'affaire, d'ailleurs, finira en justice. À l'heure du procès, le tribunal priera les mollahs récalcitrants de cesser de faire perdre son temps à la cour.

L'accompagnatrice qui a reçu la charge de guider la princesse durant ce séjour est Seyeda Abida Hussain. Elle appartenait alors au cabinet de Nawaz Sharif, le Premier ministre fraîchement élu. C'était une femme d'âge mûr, une personnalité charismatique qui s'était battue toute sa vie contre l'oppression subie par son sexe dans une société islamique et machiste. Diana et elle se rendirent ensemble à Islamabad, à Peshawar et à Chitral, où la princesse visita des établissements de soins et des institutions scolaires.

Mme Hussain raconte que Diana fut invitée dans un centre de planning familial. « Elle se montra très douce avec les bébés, dit-elle. Elle les prenait sur ses genoux. Je l'ai mise en garde car les enfants n'avaient pas de couches. Nous étions à la merci d'un petit accident qui aurait pu tacher sa robe. Elle m'a regardée alors en disant : "Oh ! quelle importance ?" Elle était vraiment très gentille. »

À Rawalpindi, Diana se rend dans un établissement d'enfants handicapés de l'armée pakistanaise. Comme elle s'y entretient avec les enfants, un officier – il avait le grade de brigadier – s'avance brusquement vers elle. « Mon fils est médecin dans le nord de l'Angleterre, dit-il. Voici son nom, son adresse et son numéro de téléphone. Appelez-le si jamais vous avez besoin de ses services ! » La délégation officielle s'irrite de l'attitude du brigadier. Cet homme a franchi un cordon invisible que chacun est tenu de respecter. Il a violé l'étiquette. Mais Diana ne se montre pas décontenancée le moins du monde. Elle se tourne vers le brigadier et lui répond en le regardant droit dans les yeux :

« Oh ! merci. Je l'appellerai sûrement un jour. »

Elle est ensuite reçue dans des établissements de réinsertion pour anciens héroïnomanes. À Peshawar, elle visite le Sandy Gall's Centre for the Disabled, où sont soignées les victimes des mines antipersonnel.

Mme Hussain, pour décrire le séjour de Diana au Pakistan, emploie des mots dignes d'un conte de fées ou des *Mille et Une Nuits.* Partout dans le pays, dit-elle, hommes et femmes envahissaient spontanément dans les rues pour admirer la princesse. Diana devait elle-même revenir sur ce séjour dans une lettre à Mme Hussain datée du 27 septembre 1991. Elle était impressionnée, écrivait-elle, par le nombre de gens qui s'étaient pressés sur son passage : ils lui inspiraient de l'humilité.

Les deux premiers jours de sa visite, explique Mme Hussain, Diana était très tendue. Elle ne posait que peu de questions. Elle semblait surtout vouloir s'informer, et observer attentivement ce qui se passait autour d'elle. Mais dès le troisième jour, elle avait fait montre de plus de décontraction. Elle avait commencé à s'ouvrir. Et les deux femmes avaient pu faire plus ample connaissance. Mme Hussain se souvient de Diana lui disant :

« Vous devez être très stressée, et très fatiguée, avec tout ce que vous faites pour moi.

— Non, non, pas du tout, répondit l'accompagnatrice. Au contraire, j'apprécie beaucoup. Mais je dois vous avouer honnêtement que je n'avais guère envie de cette mission. Je ne pensais pas que ce serait un tel plaisir. »

Diana fut surprise.

« Pourquoi donc ? » demanda-t-elle.

Mme Hussain répondit que c'était sûrement vanité de sa part. Et elle ajouta en guise de précision : « Je suis petite et forte, n'est-ce pas ? Tandis que vous, vous êtes si grande, si mince ! Je me disais qu'en marchant à vos côtés j'allais avoir l'air d'une pelote d'épingles ! »

Diana étudia son interlocutrice.

« Vous n'avez pas du tout l'air d'une pelote d'épingles. Et votre compagnie est très réconfortante. »

Mme Hussain n'a pas oublié le sens de l'humour dont la princesse faisait preuve quand elles prenaient l'avion ensemble sur les lignes intérieures. « Un jour que nous étions en vol, se souvient-elle, elle a pris les journaux sur la tablette à côté d'elle. Et elle m'a tendu le *Times* en disant : "Celui-ci est pour vous, parce que vous êtes intelligente." Prenant ensuite le *Daily Mail*, elle a ajouté : "Ça, c'est pour moi. Car moi, je ne suis pas intelligente." J'ai éclaté de rire. Puis j'ai dit : "Votre Altesse, vous êtes injuste avec vous-même. Je n'ai pas observé que vous manquiez d'intelligence." Alors elle a souri avec une grande douceur. Et elle s'est plongée dans la lecture du journal. »

Diana parla à Mme Hussain de ses deux garçons.

« Harry, dit-elle, ressemble beaucoup à son père. William, en revanche, me ressemble davantage. »

Évoquant sa belle-famille, elle la jugea « très stricte ».

Mme Hussain lui demanda si elle aimait s'occuper des chevaux.

« Non, répondit Diana. Mais vous savez, dans ma belle-famille, ils sont tous férus de chevaux. »

Les deux femmes purent faire un bout de conversation sur ce thème.

Mme Hussain se souvient que la princesse avait l'air de traverser une période de sa vie au cours de laquelle elle se découvrait elle-même. C'est ainsi, du moins, qu'elle lui est apparue. « Pour moi, raconte-t-elle, il était évident qu'elle avait des ennuis, et qu'elle était en plein désarroi. Elle aimait la célébrité. Elle aimait les caméras. Elle aimait que l'attention soit sur elle. En même temps, elle manquait d'assurance. On aurait dit qu'elle cherchait à s'appuyer sur quelqu'un de plus âgé qu'elle ; sur une figure maternelle, peut-être, à qui elle aurait pu s'ouvrir. »

Toujours selon Mme Hussain, Diana paraissait fascinée par l'image de l'homme pakistanais, du musulman fort et viril. Elle ne parlait que de ça. Elle ne concentrait guère son attention sur l'histoire du pays qu'elle était en train de visiter, ou sur sa géographie. Ce qui l'intéressait, en fait, c'étaient les gens. Les hommes en particulier. Les femmes lui inspiraient moins de curiosité. « Elle semblait très intimidée par les hommes. Et vous comprenez, en tant que femme d'âge mûr parvenue à dominer ce sentiment, j'avais envie de l'aider sur ce point. J'avais milité contre l'ordre patriarcal en vigueur dans la plupart des régions de mon pays. Alors j'ai tout de suite repéré ce penchant chez elle. Je lui ai expliqué que les hommes musulmans étaient comme les autres – ni pires ni meilleurs. Mais elle ne pouvait s'empêcher de les juger irrésistibles. Elle trouvait que les Pakistanais étaient vraiment beaux. Ce qui est bien souvent le cas, il faut le reconnaître. Elle admirait les porteurs et les domestiques employés dans les résidences du gouvernement. Il faut dire qu'ils étaient recrutés pour leur grande taille ! Et ils portaient de jolies vestes à boutons de cuivre. Sans parler de leurs magnifiques turbans. En tout cas, la princesse ne pouvait les regarder sans s'écrier : "Mon Dieu ! Qu'ils sont séduisants !" Dans la rue aussi, elle les remarquait. En particulier les Pachtounes, des hommes grands, souvent d'une beauté surprenante. »

Mme Hussain poursuit : « À mon avis, elle avait une image terriblement romantique des musulmans. Je pense qu'elle commençait à les considérer comme l'incarnation même de la virilité. Ils représentaient pour elle le mâle idéal. Le type du patriarche musulman, par exemple, la fascinait. Et elle s'intéressait de près au fait que l'homme musulman protège les femmes. On aurait dit une jeune fille nourrie de romans à l'eau de rose. Je suis moi-même maman de deux filles de moins de trente ans. Elles aussi lisaient ce genre de romans quand elles étaient petites. Mais elles ont arrêté à l'adolescence. Diana, elle, n'en était toujours pas sortie. Elle avait l'âge mental de la collection Harlequin. »

Diana exprima à sa nouvelle amie le désir de rencontrer Imran Khan. Elle souhaitait faire sa connaissance. Il piquait sa curiosité. Mme Hussain se souvient encore de leurs discussions à ce sujet : « J'ai le sentiment que la princesse ne comprenait pas du tout pourquoi je ne partageais pas son engouement. Pour moi, Imran Khan, c'était le cricket, voilà tout. Et le cricket ne me passionnait pas outre mesure. La princesse m'a demandé si je le connaissais. J'ai répondu : "Vaguement." Alors elle a voulu savoir ce que je pensais de lui. "Eh bien ! ai-je répondu, c'est un joueur de cricket !" Elle m'a appris que sa sœur, Lady Sarah, le connaissait. Mais elle-même ne l'avait jamais rencontré. Elle s'était dit que son voyage au Pakistan lui offrait une occasion d'approcher cet homme. J'ai expliqué à la princesse : "Hélas ! il n'est pas au Pakistan en ce moment. Si c'était le cas, on aurait pu organiser une rencontre. Mais il doit être en train de jouer au cricket en Australie ou ailleurs." Diana a enchaîné : "On dirait qu'Imran est pris entre deux mondes, non ? L'Orient et l'Occident. Je le vois comme un homme plein de spiritualité." J'avoue que cette remarque m'a laissée sans voix. Elle considérait manifestement le musulman comme un être protecteur – et il est vrai que c'est le cas, en un certain sens. Mais il a aussi une tendance à la domination. Il tend à étouffer la personnalité de son épouse. Imran Khan, à ce moment-là, avait ses habitudes à Londres. Et de son point de vue à elle, il était celui qui pouvait incarner le plus facilement cette notion de mâle protecteur. »

Mme Hussain a noté que Khan semblait cristalliser sur sa personne toutes les aspirations qui étaient alors celles de la princesse. « Elle concentrait son attention sur les hommes. Et sur cet homme-là principalement. Il fréquentait les cercles mondains. Lady Sarah le connaissait bien. Elle le croisait dans les réceptions. Diana le voyait manifestement comme l'homme idéal. Pour moi, elle était en train de se fabriquer une espèce de mythe. »

Et Mme Hussain d'ajouter : « Diana recherchait l'amour, c'était évident. Elle ne l'avait peut-être pas trouvé dans le mariage. Ni dans des liaisons qui lui avaient toutes laissé un goût de déception. Alors elle cherchait un compagnon avec qui elle se sentirait en sécurité. Peut-être un homme attaché à un code moral transmis par la tradition, à un mode de vie susceptible de la protéger contre la désillusion. »

Diana avait épousé un homme qui était au cœur même de l'establishment britannique, et son mariage s'était effondré. Elle était désormais irrésistiblement attirée par quelqu'un qui viendrait d'ailleurs, qui appartiendrait à une autre culture, à une religion différente. Imran Khan était un musulman occidentalisé. C'était un Oriental qui vivait en Angleterre – un Oriental lié à la culture occidentale. En somme, c'était un homme « planétaire », doublement séduisant aux yeux de la princesse. Elle ne pourrait que se sentir à son aise auprès d'un tel homme ; en même temps, il lui permettrait de fuir dans un autre univers.

L'heure n'était pas encore tout à fait venue, où un tel homme entrerait dans l'existence de Diana. Mais les graines avaient été semées. Et la princesse cultivait d'ores et déjà le rêve d'un compagnon qui serait un trait d'union entre l'Orient et l'Occident.

9

« Il est peut-être temps ! »

Calcutta est une vision d'horreur. Son simple nom évoque la misère, la famine, les maladies et la mort. Ces images sont toutes conformes à la réalité et, pour la plupart des gens, cet endroit représente ce qu'il y a de pire en Inde. La ville et ses bidonvilles s'étendent le long des rives du fleuve Hooghly. Un afflux massif de réfugiés en provenance de l'est du Bengale, ajouté à l'explosion démographique de l'Inde depuis la fin de la guerre, a engendré une surpopulation insupportable. Il y a beaucoup trop de bouches à nourrir. Il n'est pas rare de voir un enfant courir nu entre les files de voitures, en pleine circulation, à la recherche de nourriture, ou des mendiants en haillons dormir là où ils ont passé la journée, trop affamés et épuisés pour bouger.

Malgré un mouvement perpétuel, on peut rester bloqué des heures dans la circulation. Les rues sont obstruées et l'habitacle des voitures bientôt rempli de fumées chaudes et nauséabondes vomies par les véhicules alentour. La ville est désespérément polluée.

Dans une étroite rue pavée donnant sur une artère fréquentée au sud du centre-ville, on trouve une petite porte de bois. Une plaque indiquant « Mère Teresa » y est accrochée, aujourd'hui encore, à l'endroit où elle ouvrit sa mission, en 1950, pour s'occuper des miséreux de la ville. La porte ouvre directement sur la cour de la « Mother House », où règne un calme proche du havre de paix. Derrière une nouvelle porte, sur la droite, se trouve le tombeau où Mère Teresa repose. C'était son souhait d'être enterrée ici, au cœur de sa mission.

Les quatre-vingt-cinq sœurs de la Charité portent un habit blanc liseré de bleu et sont occupées à leurs corvées matinales. Elles font la lessive dans des bassines de métal, puis étendent le linge dans la chaleur étouffante. Les sœurs ont dédié leur vie aux pauvres, sans distinction de foi ni de couleur de peau. Auprès d'elles, plus de deux cents novices, également bénévoles, apportent leur aide avant de devenir des membres à part entière de la communauté. Le portrait de Mère Teresa, accroché de place en place sur les murs blancs, jette sur sa communauté un regard bienveillant.

Le 10 février 1992, quatre mois après le voyage de Diana au Pakistan, Charles et elle arrivent en Inde pour une visite officielle de six jours. C'est le premier séjour de Diana dans ce pays. Ils résident dans des suites indépendantes au palais présidentiel, à New Delhi. Après une visite commune, le 11 février, à Sonia Gandhi, la veuve d'origine italienne de l'ancien Premier ministre Rajiv Gandhi, tué dans un attentat à la bombe l'été précédent, en pleine campagne électorale, Charles et Diana suivent des programmes différents. Charles visite l'école d'architecture de la capitale, alors que Diana se rend à Agra. C'est là qu'est prise une de ses photos les plus célèbres, où elle est assise seule devant le magnifique Taj Mahal.

Souvent présenté comme le monument à l'amour le plus extravagant, le Taj Mahal a été érigé par l'empereur Shah Jahan en mémoire de sa seconde épouse, Mumtaz Mahal. On raconte que sa mort prématurée en couches en 1631 laissa l'empereur si désespéré que ses cheveux blanchirent en une nuit.

La construction du Taj Mahal fut une véritable épopée qui prit plus de vingt ans. L'histoire rapporte qu'il aurait dû y avoir deux bâtiments similaires, le second, entièrement noir, étant destiné à être le tombeau de l'empereur. Mais celui-ci fut destitué par son fils, qui craignait que ces dépenses mettent à mal les finances du pays, avant d'avoir pu mener cette tâche à bien. L'empereur passa le reste de ses jours emprisonné à Agra, dans le fort Rouge, contemplant au-delà de la rivière la dernière demeure de sa femme, ensevelie au cœur du monument qui exprimait son obsession pour l'amour perdu. Diana a parfaitement choisi le cadre de cette célèbre photographie.

Plusieurs années plus tôt, le prince Charles avait été fasciné par l'histoire du Taj Mahal. C'était avant son mariage, et il avait alors déclaré qu'il aimerait, un jour, emmener sa femme dans cet endroit. Il ne l'a jamais fait, et cette promesse rend la visite solitaire de Diana plus poignante encore. Toute la presse est déterminée à immortaliser ce moment sur la pellicule. Diana ne demande manifestement pas mieux. En posant isolée devant ce monument dédié à l'amour, elle envoie un message clair au monde : elle est seule, abandonnée, se sent mal-aimée et son mariage part à vau-l'eau. C'est un brillant exemple de ses progrès dans l'art d'utiliser les médias à ses propres fins.

L'étape suivante, à Jaipur, le 12 février, où le prince Charles doit participer à un match de polo, est l'occasion d'une autre image forte. Après le match, Charles essaie d'embrasser sa femme, alors que les caméras tournent. Mais Diana est plus rapide que lui. Grâce à une volte-face, elle offre sa nuque à son mari, un moment particulièrement gênant que les caméras enregistrent.

Après avoir visité Jaipur et Hyderabad, le couple arrive à Calcutta. Comme Charles doit effectuer un séjour privé au Népal, Diana y reste seule afin de se rendre dans la mission de Mère Teresa et de ses sœurs de la Charité. Elle aurait aimé rencontrer Mère Teresa, mais la religieuse de quatre-vingt-deux ans est hospitalisée au Vatican, en raison d'une pneumonie et de problèmes cardiaques. Ce que Diana va voir à Calcutta aura de profondes répercussions sur elle.

L'hospice des mourants, à Kalighat, dans le sud de la ville, offre des images de souffrances terribles. Des rangées et des rangées de matelas bleus posés à même le sol, quasiment les uns contre les autres, dans une salle faiblement éclairée. Les hommes et les femmes occupent des salles séparées, mais on manque à tel point d'espace que certains sont installés dans le couloir menant à la cuisine et dans tous les recoins possibles. Malgré tout, les religieuses travaillent sans relâche pour apporter dignité et réconfort aux mourants. C'est une tâche désespérée.

La plupart des malades en phase terminale que Diana rencontre au cours de cette visite souffrent de malnutrition ou de tuberculose. Pendant qu'elle est là, on lui confie un plateau de sucreries à faire passer aux malades, ce qu'elle fait, et certains lui serrent la main. Diana ne cesse de dire à quel point elle trouve tout cela triste.

Ensuite, elle se rend au centre de Shishu Bhavan pour y rencontrer trois cent cinquante enfants orphelins ou abandonnés. Tous ont été sauvés de la rue par les religieuses de Mère Teresa. Diana leur caresse le visage et prend dans ses bras un petit garçon de treize mois, sourd et muet. Il se prénomme Myso et Diana fait le tour de la pouponnière tout en le berçant. La religieuse qui l'accompagnait a raconté que la princesse a alors déclaré vouloir consacrer le reste de sa vie à aider les pauvres et les malades.

Si quelqu'un comprend ce que la princesse ressent, c'est bien cette femme qui, près de quarante ans auparavant, a vécu à Calcutta. À Earls Court, dans l'ouest de Londres, au milieu des hôtels bon marché, se trouve l'appartement de celle qui a été l'acupunctrice de Diana pendant six ans, de 1989 à 1995. À l'intérieur règne un agréable parfum de bougies exotiques, des tapis orientaux recouvrent le sol et des images religieuses agrémentées de chapelets ornent les murs. Un piano est installé dans un coin du salon et une grande fenêtre à guillotine ouvre sur la place.

L'endroit est très chaleureux. On est accueilli par une toute petite femme aux cheveux grisonnants. Son accent ne laisse aucun doute sur son origine irlandaise et ses yeux gris métallisé scrutent l'intrus avant que la porte ne s'ouvre finalement. Elle s'appelle Oonagh Toffolo. Cette ancienne nurse du comté de Sligo, en Irlande, s'est liée d'amitié avec le duc de Windsor pendant ses dernières années à Paris, puis est devenue une amie proche de Diana. L'air cérémonieux d'Oonagh disparaît bien vite tandis qu'elle sert le thé Assam dans de délicates tasses en porcelaine de Chine.

« C'était le 5 septembre 1989. Diana m'avait appelée la veille et avait demandé à me voir. Je me suis rendue chez elle, je m'en souviendrai toujours, dans un taxi vert. Diana était fin prête pour ma visite et m'a accueillie à bras ouverts, les pieds nus. C'était vraiment une "enfant de la nature". Nous nous sommes tout de suite senties en confiance. Je crois que c'est notre besoin d'aider l'humanité qui a scellé notre amitié. »

Diana a entendu parler de Oonagh pour la première fois par une amie commune, Mara Berni, la propriétaire du restaurant San Lorenzo, à Knightsbridge. Oonagh estime qu'elle a vu Diana près de trois cents fois au cours des années suivantes, soit à Kensington Palace, soit dans son propre appartement de Earls Court. Elle la traitait en lui plantant des aiguilles dans la nuque.

Le naturel de Diana l'a frappée. Une fois, en quittant l'appartement de son acupunctrice, la princesse a serré la main de l'homme de ménage. Si Oonagh se souvient de Diana comme d'une « enfant de la nature », Diana de son côté la considérait comme une « mère nourricière ». Ce besoin d'entretenir des relations avec des femmes plus âgées est récurrent chez Diana, probablement parce qu'elle s'est toujours sentie abandonnée par sa propre mère, depuis le plus jeune âge.

Pendant les séances d'acupuncture, Oonagh Toffolo parle à Diana comme un professeur. Elle lui prête des dizaines de livres sur la santé, la guérison, les missionnaires et les martyrs, et l'encourage à étudier d'autres religions. Elles deviennent des amies proches. Entre deux séances, elles discutent longuement du mariage de Diana avec Charles. Oonagh est un témoin de premier plan des doutes incessants de Diana, de son sentiment d'insécurité, qui a finalement ouvert la voie à une prise de conscience de son extraordinaire capacité compassionnelle qui pourrait être un exemple pour chacun.

Catholique convaincue quand elle avait vingt ans, Oonagh a vécu dans la mission de Mère Teresa à Calcutta et a travaillé à ses côtés pour soulager les malades et les pauvres. Elle a raconté son voyage à Diana. «Je lui ai parlé de mon séjour en Inde, en particulier de Calcutta, et du besoin impérieux que l'on prenne soin des enfants de ce formidable pays. Ça l'a beaucoup émue parce qu'elle adorait les enfants. Voir des enfants qui avaient besoin d'amour la renvoyait à elle-même. Je me souviens lui avoir donné le *Petit Livre des câlins*, qu'elle a dévoré parce qu'il répondait à son besoin d'étreindre le monde.»

Quand Diana a raconté à Oonagh qu'elle devait aller en Inde, celle-ci lui a demandé de bien se souvenir de toutes les pensées et émotions qu'elle aurait sur place.

Diana s'installe dans la cour de la mission de Mère Teresa et des religieuses prennent place en demicercle autour d'elle, tandis que d'autres sont aux balcons et aux fenêtres. Les religieuses, dans la cour, entament un chant : *Make all your life something beautiful for God.* Quand elles commencent le deuxième cantique, on jette des pétales de roses sur Diana, qui laisse échapper une larme.

Comme Oonagh le lui a demandé, elle prend note de ses pensées. Dans le compte rendu qu'elle fait de son voyage, dont elle donnera plus tard une copie à son amie, on voit des signes évidents de son développement spirituel, mais aussi de sa prise de conscience progressive de ce qu'elle peut apporter aux autres. Elle veut faire tout ce qu'elle peut pour apporter de l'aide à l'humanité, à grande échelle.

Mais la caractéristique dominante des écrits de Diana est l'intensité de ses sentiments. Elle avoue être incapable de trouver les bons mots pour décrire ce qu'elle ressent vraiment, et pense même que son entourage serait effrayé si elle y parvenait. Elle explique à quel point elle se sent à l'écart des autres, à cause de cette conviction profonde qu'elle a une mission à accomplir. Il en découle pour elle un nouveau sens des responsabilités, dont elle tire la force de transformer les choses. Elle se demande si le temps n'est pas venu pour cela : changer de vie.

10

« Tu ne trouves pas qu'il est vraiment craquant ? »

En s'abîmant dans les drames des autres, Diana avait la possibilité de fuir ses propres problèmes. Il est clair, par ailleurs, que ce soutien apporté aux plus faibles la rendait elle-même plus forte. Mais la compassion que lui inspiraient les malades et les mourants était un sentiment profond, authentique – il n'y a aucun doute sur ce point.

Roberto Devorik se rappelle être allé avec la princesse rendre visite à l'hôpital à un mourant atteint du sida. « Il était dévoré par la maladie, dit-il. C'était vraiment dur de simplement le regarder. Ses yeux étaient presque éteints. Diana s'est approchée de lui. Elle lui a pris la main. Aussitôt la vie est revenue dans les yeux du malade. Non, ce n'est pas mon imagination qui m'a joué des tours. Diana, d'abord, n'a rien dit. Elle tenait la main du patient. C'est seulement au bout de trois minutes qu'elle a ouvert la bouche pour lui dire : "Vous savez, je crois qu'on doit bien s'amuser, là-haut. Bien plus qu'ici." Puis elle lui a embrassé la main, et elle est sortie de la chambre. L'homme devait mourir trois jours plus tard. Sa mère a écrit à Diana pour lui dire la joie que cette visite avait procurée au malade. Il était mort apaisé. »

Ayant découvert en elle cette force compassionnelle, cette attention portée à la souffrance d'autrui, Diana en vint à se convaincre qu'elle possédait un don spécial. Elle commença aussi à se familiariser avec le sentiment d'être aimée désormais pour une qualité qui lui était vraiment propre, pour quelque chose qui relevait de sa nature profonde. Elle sentait bien qu'elle n'était pas obligée de se forcer pour aller affronter des épreuves pourtant difficiles. Surtout, elle était de plus en plus persuadée que ces rencontres, ces échanges et ces actes de charité ne déboucheraient jamais sur des trahisons.

C'est alors que l'année 1995 vit converger une série d'événements appelés à jouer un rôle clé dans son existence.

Diana s'était séparée de Charles. Elle avait commencé à explorer la vie au-delà de l'establishment. Sa relation avec Oliver Hoare avait beau être finie, cela ne l'empêchait pas de s'immerger toujours davantage dans la philosophie islamique. Enfin, elle avait désormais pleinement conscience de son aptitude à aider les autres, et du fait que les actions charitables renforçaient sa propre puissance intérieure.

C'est précisément en septembre 1995 qu'elle devait franchir les portes du Royal Brompton Heart and Lung, un hôpital londonien spécialisé dans le traitement des maladies cardiaques et pulmonaires. Diana, bien entendu, ignorait que cette visite marquerait un tournant dans son destin. Une fois encore, c'est son amie et acupunctrice Oonagh Toffolo qui devait jouer un rôle de catalyseur dans l'enchaînement des événements.

L'appartement d'Earls Court d'Oonagh Toffolo est encore imprégné de la présence de Joseph, son mari disparu en 1999. La musique que l'on y entend est celle que Joseph aimait. Les étagères sont chargées des livres qu'il lisait. Il y a partout des photos de lui – sur les murs, les bureaux, ainsi que dans un grand portfolio de cuir où sont rangés ses portraits. Oonagh a pris place dans un fauteuil tapissé de velours marron. Autour d'elle, des bouquets de muguet dégagent leur parfum entêtant. Elle incline la tête et pose la joue dans sa main. Elle soupire tristement.

Elle est prête à nous raconter la naissance d'une histoire d'amour – une histoire secrète entre la princesse et un médecin pakistanais. Elle nous parlera ensuite du voyage que Diana fit à Lahore. Mais elle ne peut en venir à son récit sans réveiller d'abord de douloureux souvenirs liés à la maladie de Joseph. Et ce n'est pas une tâche facile. Oonagh est obligée de prendre une profonde inspiration. Elle doit rassembler ses forces. C'est lentement que les phrases sortiront de ses lèvres.

« Cela faisait deux ou trois ans que Joseph traînait des ennuis cardiaques, dit-elle. Au printemps 1995, les choses se sont tellement aggravées qu'il a bien fallu se résoudre à envisager l'opération. » L'intervention – triple pontage avec pose d'une prothèse valvulaire – fut programmée le 31 août au Royal Brompton. Le 5 avril, Diana avait envoyé à Joseph un mot disant qu'Oonagh et lui étaient dans ses pensées et ses prières. La princesse ajoutait dans son billet qu'elle s'efforçait de rassembler tout ce qu'elle pouvait d'énergie positive.

Le 14 août, deux semaines avant l'admission de Joseph à l'hôpital, Diana invita le couple à déjeuner. C'était l'anniversaire d'Oonagh. Joseph, qui avait une voix magnifique, demanda la permission, à la fin du repas, de chanter quelque chose pour la princesse. Il choisit un morceau intitulé *La Paloma* (La Colombe). Diana en fut submergée par l'émotion. Personne encore n'avait jamais chanté ainsi pour elle, dit-elle à Joseph. Il est vrai qu'il l'avait fait de toute son âme, au point que l'on entendait battre son cœur, affirma la princesse. Dans un moment bouleversant, Diana couvrit de ses mains le cœur de Joseph.

Le Royal Brompton Heart and Lung est un bâtiment bas, sans attrait particulier, situé en plein Chelsea. Le quartier est prospère, comme l'indiquent les maisons blanches à terrasses qui s'alignent le long de Sydney Street. Ses nombreuses boutiques en font un lieu de rendez-vous des privilégiés. Pendant ce temps, derrière les fenêtres de l'hôpital, les patients jouent leur vie. Et Joseph Toffolo attendait ce jour-là d'être conduit en salle d'opération.

« Hissons les voiles et en route ! dit-il pour se donner du courage. Je vais m'en sortir. »

L'instant d'après, les portes du bloc opératoire se refermaient sur lui.

L'intervention fut effectuée par un chirurgien renommé, le professeur Magdi Yacoub, assisté d'un interne en chirurgie, M. Hasnat Khan. L'opération terminée, Joseph fut transporté aux soins intensifs. Il s'y trouvait depuis vingt minutes, quand la sœur responsable du service observa que la poche de perfusion du patient était pleine de sang. Joseph était en train de faire une grave hémorragie. Le signal d'alerte retentit. Le professeur Yacoub accourut. Il n'avait d'autre choix que d'intervenir immédiatement. Il prit le scalpel et ouvrit à nouveau la cage thoracique de Joseph Toffolo.

Oonagh, à la maison, attendait des nouvelles. Mais personne ne lui téléphonait. Saisie d'un pressentiment, elle accourut à l'hôpital. Elle y retrouva une vieille amie, sœur Mairead. Toutes deux durent patienter longuement. Puis on leur apprit ce qui s'était passé. Heureusement, l'hémorragie avait pu être stoppée. Le cœur s'était remis à battre. Joseph revenait de loin. Oonagh et sœur Mairead furent autorisées à le voir. Ce fut un choc. Oonagh, ce soir-là, téléphona à Diana vers 21 heures pour lui dire que son mari était au plus mal.

Diana, depuis 1995, avait confié sa propre santé à des thérapeutes, acupuncteurs et autres adeptes des médecines alternatives comme à autant de béquilles sur lesquelles s'appuyer dans sa quête d'une base solide pour son existence. Elle jugea que l'heure était venue de rendre la pareille. Elle se précipita au secours de son amie.

Oonagh se souvient : «Je lui ai dit que Joseph était dans un état grave. Diana m'a répondu : "Je serai à l'hôpital demain matin à 10 heures." Elle a tenu parole. À son arrivée, j'étais déjà sur place. Je l'ai emmenée voir Joseph aux soins intensifs. Puis nous avons gagné ensemble une petite pièce du service. Au bout d'une minute à peine, Hasnat Khan est arrivé avec une escorte d'assistants. J'ai fait les présentations. Il s'est contenté de saluer Diana d'un hochement de tête. Jamais, de toute sa vie, la princesse de Galles n'avait dû faire une si faible impression sur quelqu'un ! Khan, en fait, voulait entrer directement dans le vif du sujet. Il m'a expliqué que l'état de Joseph était sérieux, et qu'il avait besoin de mon autorisation pour le ramener au bloc. Khan était un homme bon. Je l'avais vu plusieurs fois la veille. Je l'ai regardé et j'ai répondu : "S'il vous plaît, occupez-vous de lui. Il nous est tellement précieux !" Et je lui ai baisé la main. Il a dit alors qu'il reviendrait me voir plus tard. Peut-être à 14 heures. Quand il serait en mesure de me donner toutes les informations que j'attendais. Sur quoi, il a de nouveau salué la princesse d'un simple hochement de tête. Et il a quitté la pièce. J'avoue que je ne lui trouvais rien de spécial, à ce Dr Khan, si ce n'est qu'il était très gentil, qu'il avait de beaux yeux et des mains superbes, et que c'était un chirurgien attentif et consciencieux. Mais dès qu'il eut quitté la pièce, Diana m'a dit : "Oonagh, tu ne trouves pas qu'il est vraiment craquant ?" C'est comme ça que tout a commencé. Je crois qu'il lui avait fait un effet incroyable. Un vrai coup de foudre. Elle est tombée amoureuse sur-le-champ ! Diana avait juré de consacrer sa vie à aider les malades et les blessés aux quatre coins de la planète. Et qu'elle cherchait désespérément un compagnon pour partager cette vie-là. Khan lui est apparu comme celui qu'elle appelait de ses vœux. Un homme qui se dévouait aux malades. Un chirurgien capable de les soigner. Elle avait besoin de quelqu'un qui l'aide à créer un lien entre elle et l'humanité. J'ai compris qu'elle a tout de suite regardé Khan comme un partenaire possible, à même de l'aider dans sa mission d'amour. »

Hasnat Khan avait trente-six ans. Il venait du Pakistan. Il exerçait au Royal Brompton depuis 1992, où il travaillait sous les ordres d'un grand professeur, Sir Magdi Yacoub, qui était aussi son directeur de thèse.

Diana, à l'occasion des visites qu'elle rendit à Joseph au Royal Brompton, devait rencontrer de nouveau Hasnat Khan à plusieurs reprises. C'est dans un ascenseur qu'elle se retrouva pour la première fois seule avec lui, comme elle le raconta plus tard à Simone Simmons.

C'est aussi à Simone qu'elle fit cet aveu : Khan n'était pas du tout son type d'homme. Elle le trouvait trop corpulent. Il fumait. Et il se nourrissait mal. D'un autre côté, elle était convaincue que le fait d'avoir croisé sa route était un signe « karmique ». Elle avait tout de suite perçu que sa destinée était liée à celle du Dr Hasnat Khan.

11

«Natty»

La première chose qui frappe, chez Hasnat Khan, ce sont ses yeux. On l'a comparé à Omar Sharif et surnommé «Docteur Sexy». Mais là n'est pas l'essentiel. On sent tout de suite chez lui un homme capable d'une grande compassion. Si son comportement est modeste et réservé, son regard semble brûler du désir farouche de prendre soin des malades et de soulager l'humanité. C'est ce que soulignent tous ceux qui voient en Hasnat Khan un grand homme. C'est aussi ce que Diana a dû voir en lui.

Il ne s'embarrasse pas de formalités et ne fait pas de manières. En compagnie de Diana, il porte souvent un bermuda. Le salon de son deux-pièces de célibataire à Chelsea, dont le frigo est toujours vide, reflète ses goûts et son mode de vie. Des ouvrages médicaux, des guides de voyage et des CD de jazz traînent un peu partout. Une bouteille de Coca-Cola est posée sur le bureau, près de son ordinateur.

Les plats préparés forment la base de son alimentation : il va régulièrement s'approvisionner dans sa boutique favorite, au coin de Cromwell Road, dans South Kensington. Café instantané et cigarettes complètent le tableau.

« Natty », comme l'appelle affectueusement sa famille, est décrit par ses proches comme un homme très chaleureux mais qui ne sait pas dire non. Il veut absolument faire plaisir, acceptant certaines tâches alors qu'il n'est pas sûr de pouvoir les mener à bien.

Même s'il ne vit pas au Pakistan, il respecte la tradition, croit à l'importance des convenances, de la loyauté, du travail et des valeurs familiales. Son dévouement professionnel est irréprochable : sa carrière passe avant tout le reste.

Son cousin Mumraiz évoque en termes affectueux sa gentillesse et sa générosité. Il se rappelle avoir manifesté son goût pour une paire de chaussures que portait Hasnat lors d'une de ses visites au pays. Quelques jours après son retour à Londres, Hasnat lui en a envoyé une paire identique. Une autre fois, parce que Mumraiz avait perdu le portefeuille dans lequel il gardait les économies qu'il avait faites pour se payer un jeu vidéo, Hasnat a retiré cinquante livres d'un distributeur pour les lui donner.

On le décrit aussi comme un bon vivant, avec lequel on s'amuse toujours, doté d'un solide sens de l'humour.

Hasnat est proche de ses parents. Il évite de faire quoi que ce soit qui pourrait leur déplaire et ne leur a jamais rien demandé. Sa mère est une femme obstinée dont il écoute toujours les conseils. Né en août 1959 dans une famille aisée de la classe moyenne, Hasnat Khan est l'aîné de quatre enfants. Son père, Rasheed Khan, a monté avec son frère aîné Saïd un lucratif commerce, Prime Glass, qui livre des verres et des bouteilles à travers tout le Pakistan. L'usine fait partie d'un domaine privé situé à cinq kilomètres de la ville de Jhelum, à cent quatre-vingt-quinze kilomètres au nord de Lahore. Au moment de la naissance de Hasnat, la famille vivait sur ce domaine.

Derrière les hauts murs, entourées d'un vaste jardin et de vergers, se dressent deux maisons connues comme la « grande maison » et la « petite maison ». L'oncle d'Hasnat, Saïd, vivait dans la « grande maison » avec ses huit enfants et sa femme, tandis qu'Hasnat a grandi dans la « petite » avec ses deux sœurs et son frère.

Le contraste avec l'enfance de Diana est complet. Même si les deux familles sont aisées, Diana a été élevée de manière beaucoup plus rigide, les enfants étant tenus à l'écart des parents. Il y avait une sorte de frontière qui empêchait Park House d'être une demeure familiale chaleureuse. Diana avait six ans lorsque sa mère est partie et, jusqu'à neuf ans, elle n'a pas pris un seul repas avec son père. C'était un personnage aimant mais distant. L'atmosphère n'était jamais vraiment naturelle ou détendue. Cela contraste avec le sentiment d'être aimé et choyé dans lequel a grandi Hasnat Khan. La proximité des deux familles, la sienne et celle de son oncle, a fait qu'il y avait toujours des adultes disponibles pour s'occuper des enfants, passer du temps avec eux. Son environnement était solide et stable. Les enfants des deux maisons, la grande et la petite, avec les cousins qui venaient leur rendre visite pendant les vacances scolaires, passaient leurs journées à jouer à cache-cache et à grimper aux arbres dans les vergers environnants.

Leurs jeunes imaginations se déchaînaient, construisant un monde de conquêtes et de batailles entre le Bien et le Mal. Ils bâtissaient des histoires à propos d'un serpent diabolique se cachant dans les profondeurs du verger qui se transformait pour eux en forêt immense. Le serpent dévorait tout sur son chemin, jusqu'à ce que de valeureux chevaliers – les enfants, bien sûr – en viennent à bout et sauvent tout le monde de la terreur.

Les après-midi plus calmes, ils construisaient de grands trains à l'aide de chaises empruntées dans les deux maisons. Ils partaient ainsi pour de longs périples à travers le monde, traversant les montagnes les plus élevées et les précipices les plus vertigineux, s'émerveillant des paysages magnifiques qu'ils croisaient.

Comme le domaine familial se trouvait à la périphérie de la ville de Jhelum, Hasnat Khan devait faire un long trajet pour se rendre à l'école. Mais ces allers et retours avaient aussi leur charme. Les voyages dans les froids matins d'hiver se faisaient dans une « tonga », sorte de carriole tirée par un cheval. Les cinq kilomètres qui séparaient les enfants de l'école tenue par des religieux de Jhelum étaient synonymes de froid. Ils étaient emmitouflés sous des couvertures, faisaient semblant de fumer, soufflant la buée qui sortait de leur bouche d'un air nonchalant. Des points de repère le long de la route, comme une vieille statue coloniale, étaient le prétexte de jeux : le premier à les apercevoir avait gagné. C'étaient les jours heureux de l'enfance…

À l'école, Hasnat se conduisait bien et était aussi apprécié de ses condisciples que de ses professeurs. On se souvient de lui comme d'un élève gai et drôle. Il y avait toujours de l'éclat dans ses histoires, qu'il racontait de manière très recherchée. Sur le plan scolaire, il avait un excellent niveau.

Resté à Jhelum jusqu'à la fin du lycée, il est ensuite entré au King Edward Medical College de Lahore où il a passé cinq années. Ce bâtiment imposant, dont la façade est ornée de piliers blancs, est l'école de médecine la plus importante du Panjab et l'un des plus vieux établissements du Pakistan.

Une fois accomplies ses études théoriques, Hasnat Khan a quitté son pays pour rejoindre son oncle, le professeur Jawad Khan, en Australie. Ce dernier, éminent cardiologue, lui a trouvé un poste grâce à ses contacts professionnels. À l'hôpital Saint-Vincent de Sydney, Hasnat a rencontré son premier mentor, Victor Chang, un spécialiste reconnu.

Le Dr Chang était un visionnaire, un homme original dont le rêve était de constituer à Saint-Vincent l'équipe idéale, composée de chercheurs du monde entier. Le champ des maladies cardiaques était à ses yeux un challenge unique. Il voulait encourager la recherche et favoriser le développement de techniques cardiothoraciques modernes, par l'utilisation d'une nouvelle valve et d'un cœur artificiel. Hasnat Khan voyait en lui une figure paternelle.

Mais le 4 juillet 1991, la tragédie a frappé. Alors que le Dr Chang se rendait à l'hôpital dans sa Mercedes bleue, deux criminels d'origine malaise qui voulaient extorquer au cardiologue trois millions de dollars australiens l'ont intercepté. Lorsque l'un des bandits a sorti son arme, le Dr Chang, plutôt que de céder à la menace, a tenté de discuter. Puis il a hurlé à des passants d'appeler la police. Quand il a refusé de monter dans la voiture de ses assaillants, l'un d'eux a tiré, touchant le médecin à la joue. Alors que le Dr Chang était à terre, il a fait feu une nouvelle fois. La balle l'a touché à la tête, le tuant instantanément.

La mort de son mentor a bouleversé Hasnat Khan. Peu de temps après, il décidait de quitter l'Australie pour l'Angleterre.

En 1992, le Dr Khan s'est installé à Stratford-upon-Avon. Il a travaillé dans les hôpitaux de Manchester, Leeds et Hammersmith, à Londres, avant d'entrer au

Royal Brompton. C'est là que Diana, alors âgée de trente-quatre ans, a rencontré le 1er septembre 1995 l'homme qui allait bouleverser sa vie.

TROISIÈME PARTIE

LE DOCTEUR

12

« Il fait tout ce qu'il dit à ses patients de ne pas faire ! »

« Qu'en penses-tu ? »

Simone Simmons attendait, assise dans le salon ; elle se retourna et resta pétrifiée.

« Mais c'est moi ! » s'exclama joyeusement Diana.

Elle portait une grande perruque sombre à cheveux longs que Paul Burrell, son majordome, était allé acheter pour elle chez Selfridges, sur Oxford Street. Simone Simmons n'en revenait pas. L'image de la princesse était complètement transformée.

Des perruques, Diana en possédait déjà plusieurs, car elle avait désormais recours à des déguisements pour sortir incognito avec Hasnat Khan. Elle savait si bien changer d'apparence que personne ne la reconnaissait. Les paparazzi étaient bernés. Même ses proches s'y laissaient parfois prendre. Ces perruques étaient au fond le symbole de sa nouvelle vie : grâce à elles, elle avait enfin le droit de vivre normalement comme n'importe qui. Car Diana ne se contentait pas de dissimuler ses cheveux blonds. Elle choisissait aussi des maquillages différents, aux coloris plus sombres, en harmonie avec sa nouvelle coiffure.

Elle portait des robes d'une autre couleur que le bleu ou le rose adaptés à son teint naturel. En réalité, elle changeait même de style vestimentaire, au point d'opter à l'occasion pour des leggings ou un survêtement. Elle allait même jusqu'à porter des lunettes munies de faux verres pour être sûre d'échapper à l'attention des curieux.

Joseph Toffolo mit plus de deux semaines à récupérer de son opération à cœur ouvert, et passa tout ce temps cloué sur son lit d'hôpital. Diana, qui lui rendait visite tous les jours, pouvait apparaître dans la chambre en tenue décontractée, mais il lui arrivait aussi d'être vêtue d'un tailleur chic quand elle était ensuite attendue à une réception officielle.

Au début, Diana tirait une chaise près du lit et s'asseyait au chevet du malade, sachant qu'elle ne pouvait faire davantage que lui prendre la main et lui offrir le réconfort d'une présence. Puis Joseph commença à aller mieux. Dès lors, l'attitude de Diana évolua. Désormais, elle le prenait dans ses bras. Elle lui parlait d'une voix douce. Elle l'encourageait. En général, elle ne venait pas les mains vides. Elle avait acheté du raisin et des fleurs, par exemple. Mais c'étaient là des présents impersonnels, auxquels ont recours la plupart des gens qui visitent des malades, aussi préférait-elle offrir à Joseph des livres ou des disques. Elle lui apporta un jour un coffret de trois CD du ténor italien Luciano Pavarotti, un artiste qu'elle comptait parmi ses amis. Une fois dans la chambre, elle se comportait avec le plus grand naturel. Elle riait. Elle discutait avec les autres personnes présentes. Au point que la visite était parfois beaucoup trop animée pour un convalescent ! Un jour, le brouhaha était tel que le pauvre Joseph fut obligé de mettre tout le monde dehors.

Les semaines passant, Joseph Toffolo put quitter le lit. Peu à peu, il se remit à marcher. On le vit alors se promener dans l'hôpital au côté de Diana. Elle insistait pour qu'il s'appuie sur elle, et tous deux allaient à petits pas le long des couloirs, en bavardant tranquillement.

Joseph Toffolo devait admettre plus tard avoir été surpris de la grande sollicitude exprimée par la princesse à son endroit. Dans une lettre du 3 septembre, Diana remercia Oonagh de l'avoir autorisée à venir au chevet du malade, et à partager avec lui des moments intimes. Oonagh et Joseph l'avaient considérée comme un membre de leur famille, et cette marque de confiance l'avait énormément touchée.

Tandis que Joseph Toffolo se remettait de l'intervention, Diana fut amenée à faire plus ample connaissance avec Hasnat Khan. Elle avait exprimé au docteur son désir de mieux comprendre le fonctionnement de l'hôpital, et Khan avait accepté de lui servir de guide dans les différents services. Il commença par lui présenter de nouveaux patients. Puis il l'accompagna lors de visites nocturnes qu'elle effectuait de manière clandestine, au terme desquelles il la faisait sortir par une porte dérobée.

Le 20 novembre, alors qu'elle connaissait Hasnat Khan depuis onze semaines, Diana apparut à la BBC dans « Panorama », une émission grand public souvent controversée. L'interview avait été réalisée par Martin Bashir quinze jours plus tôt. L'entretien, censé aborder tous les sujets, avait donné lieu à des tractations dès septembre. Puis la date de l'enregistrement avait été arrêtée au 5 novembre ; le staff de Diana serait absent de Kensington Palace en ce jour férié – le 5 novembre, date du Guy Fawkes Day, est jour de festivités populaires en Grande-Bretagne. Martin Bashir, au cours de l'interview, avait demandé à la princesse si elle pensait être couronnée reine un jour. Diana, dans sa réponse, avait formulé le souhait de jouer un rôle clairement défini ; et elle avait prononcé l'expression célèbre qui servirait plus tard à décrire sa personnalité : « Reine des cœurs ».

Le 30 novembre, dix jours après l'émission, elle fut surprise par un reporter de *News of the World* alors qu'elle quittait le Royal Brompton Hospital peu après minuit. Le reporter venait de la prendre en photo quand il reçut sur son portable un appel de Clive Goodman, le rédacteur en chef du journal. La princesse demanda à parler à Goodman. Elle lui expliqua elle-même qu'elle avait l'habitude de venir à l'hôpital réconforter les malades et les mourants. Oui, dit-elle, elle se rendait deux ou trois fois par semaine au chevet de patients en phase terminale. Elle venait en aide à des gens qui n'avaient ni famille ni amis pour les assister. Aux malades qui avaient besoin de parler à quelqu'un. D'où sa présence ici à une heure tardive. Les patients hospitalisés étaient tous différents, dit-elle encore. Certains vivraient, d'autres mourraient. Mais tous avaient besoin d'amour pour traverser leur épreuve. Elle conclut cet échange téléphonique avec Goodman en affirmant que le simple fait d'être auprès des personnes souffrantes la rendait plus forte.

Il est vrai que la princesse rendait visite aux malades. Vrai aussi qu'elle devint très proche de certains d'entre eux. Mais on peut raisonnablement penser qu'elle allait aussi à l'hôpital poussée par un autre désir – celui d'y retrouver Hasnat Khan.

Jusqu'alors, les rendez-vous entre Diana et Hasnat avaient toujours eu pour décor l'hôpital de Royal Brompton. Après que Joseph Toffolo fut rentré chez lui, la princesse décida que l'heure était venue d'attirer le médecin sur son propre territoire. Khan fut alors convié à dîner à Kensington Palace. Diana avait un prétexte tout choisi pour justifier cette invitation : elle souhaitait en apprendre le plus possible sur la chirurgie du cœur.

Par la suite, Diana et Khan commencèrent à se voir davantage, et prirent conscience que leur relation dépassait peut-être le cadre d'une simple aventure. Qui sait si elle ne les mènerait pas quelque part ? Si tel était le cas, ils n'avaient aucune raison de la confiner dans le secret du Royal Brompton ou du palais. Certes, Diana demeurait résolue à protéger autant que possible la tranquillité de leur union, mais elle avait aussi grande envie de sortir en amoureux, comme n'importe quel autre couple. D'où les déguisements – une solution qui se révéla efficace.

Hasnat, passionné de jazz, décida d'emmener Diana à Soho dans son club favori, le Ronnie Scott's. Ils devaient y passer par la suite quelques-unes de leurs meilleures soirées.

Diana, qui adorait la musique, n'avait encore jamais eu l'occasion d'explorer vraiment l'univers du jazz. Dans la perspective de cette sortie à Soho, elle téléphona à Simone Simmons pour tâcher d'obtenir quelques informations. Que devait-elle écouter ? Par quoi commencer ? Simone lui conseilla deux ou trois titres. Diana sortit le jour même acheter des CD d'Ella Fitzgerald, de Louis Armstrong et de Dave Brubeck. Elle devait ensuite qualifier cette musique d'« intéressante ».

Quant à l'expérience qui consistait à se rendre dans un club de jazz, elle était pour elle entièrement nouvelle. À leur arrivée au Ronnie Scott's, Diana fut émerveillée de voir qu'il fallait faire la queue pour acheter les billets. Ce détail l'excita tellement qu'elle téléphona à Simone Simmons pour lui en parler. Elle adorait ça ! dit-elle. C'était la première fois qu'elle prenait une file d'attente.

«Je fais la queue ! dit-elle avec enthousiasme. C'est formidable !»

Elle expliqua à Simone qu'Hasnat l'avait laissée une minute, le temps d'aller se renseigner à l'entrée, et qu'elle en avait profité pour engager avec ses voisins des discussions animées.

«On rencontre plein de gens de toutes sortes en faisant la queue !»

Simone n'avait aucune intention de gâcher la joie de son amie, mais elle ne put s'empêcher de répondre qu'en ce qui la concernait elle faisait la queue tous les jours au supermarché ou ailleurs, et qu'elle ne trouvait pas cela particulièrement drôle. Mais Diana, à l'autre bout de la ligne, était en extase. On aurait dit qu'elle venait de découvrir le monde réel.

Ayant tenu à se déguiser pour sortir incognito, elle portait ce soir-là une de ses perruques, des leggings, un blouson d'aviateur et de fausses lunettes de vue. Même cachée sous cet accoutrement, elle offrait une image attirante. On se retournait sur elle, de quelque façon qu'elle fût habillée. Elle téléphona une autre fois à Simone pour lui raconter l'histoire suivante. Elle s'était trouvée peu de temps auparavant à l'entrée d'une station de métro où deux «types» étaient en pleine discussion. Elle poursuivit son chemin, et les deux hommes la regardèrent passer, apparemment d'un œil distrait. Pourtant, l'un d'eux lâcha soudain derrière elle : «J'ai bien envie de me la faire, celle-là.» N'importe quelle autre femme aurait trouvé ce commentaire désobligeant. Diana, elle, le jugea ravissant.

« Tu te rends compte, dit-elle à Simone, s'ils avaient su de qui ils parlaient ? »

Diana et Hasnat aimaient dîner au restaurant, mais aussi avaler un morceau au Fish & Chips du coin.

Aux dires de tous, Hasnat Khan n'était pas homme à se soucier beaucoup de sa santé. Il est vrai que son métier ne lui laissait guère le temps de faire le marché et la cuisine. C'est la raison pour laquelle, sans doute, il avait pris l'habitude de manger sur le pouce. Simone Simmons se souvient : « J'entends encore Diana me dire au téléphone : "Quand je le vois marcher dans la rue avec son sac de poulet frit !" Sur quoi elle gloussait, avant d'ajouter : "Je n'y crois pas ! Ça dégage une odeur écœurante, ce truc !" Elle disait aussi : "Il est chirurgien cardiaque, et il fait tout ce qu'il dit à ses patients de ne pas faire ! Il mange des nourritures pleines de graisses. Il fume comme un pompier. Il boit trop !" »

Cette période vit Diana s'épanouir sur le plan physique. Des proches se souviennent de la « flamme coquine » qui brillait dans ses yeux. Elle avait une peau étincelante, et l'air de vivre sur un nuage. Quand elle parlait d'Hasnat, elle l'appelait « Monsieur Merveilleux ».

Autour d'elle, on allait de surprise en surprise. Voilà maintenant qu'elle voulait développer ses talents culinaires ! Elle avait même appris à se servir du four à micro-ondes. Simone, un jour, l'entendit se vanter d'avoir préparé des pâtes pour Hasnat. Elle ne cacha pas son étonnement :

« Je ne te crois pas. Vraiment ? Tu lui as fait des pâtes ? »

Diana fit « oui » de la tête, et apporta cette précision : « Oui, j'ai appris à utiliser le micro-ondes. Chez Marks & Spencer, ils vendent ces astucieux petits plats, tu sais ? Tu n'as qu'à les mettre dans le four, tu règles la minuterie, tu appuies sur le bouton, et c'est prêt ! »

Telle était l'idée que Diana se faisait de la cuisine. Mais si modestes que fussent ses ambitions, le résultat obtenu lui inspirait une immense fierté. En fait, elle était aux petits soins pour Hasnat Khan, et c'était ce qui comptait selon elle. Ainsi, à Kensington Palace, avait-elle fait disposer un peu partout des cendriers supplémentaires. Elle avait beau estimer que la cigarette était l'ennemie de la santé, elle n'en souhaitait pas moins que le docteur puisse fumer à sa guise !

La princesse avait toujours le souci de tenir la presse à distance de sa vie privée, et elle savait s'y prendre mieux que personne pour garder le secret sur sa liaison avec Khan. Quand elle allait le chercher en voiture, elle faisait mille détours dans les rues de Londres pour tenter de semer les paparazzi qui étaient peut-être à ses trousses. Le voyage, en principe, aurait dû durer dix minutes ; mais elle était si prudente qu'elle pouvait facilement mettre trois quarts d'heure pour arriver à l'hôpital.

Elle avait plusieurs voitures à sa disposition : la sienne, celle de son majordome et une Range Rover. Elle prenait le volant. Elle gagnait le Royal Brompton. Elle faisait monter Hasnat. Et elle rentrait avec son passager caché sur la banquette arrière sous une couverture.

Hasnat Khan était parfois amené à se rendre pour son travail à l'hôpital Harefield, dans le Middlesex ; quand c'était le cas, Diana se levait à l'aube pour l'y conduire. Khan, de son côté, n'était pas un passionné de voitures. Il se moquait bien du véhicule qu'il avait entre les mains. Un jour qu'il avait proposé à Diana de venir la chercher, la princesse se précipita sur son téléphone et appela Simone pour lui dire : « S'il croit que je vais monter dans cette voiture ! Son pot d'échappement est cassé. Ça fait un bruit atroce. Tu te rends compte, si la police nous arrête ? Le monde entier sera au courant ! »

Diana offrit à Khan de lui acheter une voiture neuve, mais il refusa énergiquement.

À Kensington Palace, le personnel n'était pas informé de cette nouvelle liaison. Même Paul Burrell, le majordome, ne fut pas mis au courant, alors que la princesse avait toute confiance en lui. Certes, elle devait finir par lui dire la vérité, mais alors que leur relation était déjà bien établie. Si Hasnat se présentait au palais à une heure tardive, c'était Diana elle-même qui se chargeait de l'accueillir et de le faire entrer par une porte de service. S'il restait auprès d'elle pour le week-end, elle demandait à Burrell de veiller à tenir le staff à distance ; et jusqu'au départ de Khan, elle se réservait une partie de l'appartement où nul n'avait le droit de pénétrer.

Diana ne se contentait pas de se montrer discrète vis-à-vis de son personnel. Même certains de ceux qu'elle considérait comme ses intimes étaient tenus dans l'ignorance. Lady Elsa Bowker, par exemple, était au courant, mais elle avait appris la vérité par accident, non de la bouche de la princesse.

Lady Bowker avait été invitée à déjeuner avec quelques amis chez Boodle's, un club de St James Street. Sept personnes étaient présentes autour de la table, dont le regretté Robert Vaes, alors ambassadeur de Belgique à Londres. On commençait à servir quand une des convives dit à Lady Bowker :

« Elsa, votre amie a une liaison avec ce médecin pakistanais. »

Lady Bowker en demeura stupéfaite. Elle pensa d'abord répliquer que les gens ne devraient pas parler à tort et à travers, puis elle se ravisa et se contenta finalement de répondre :

« Non, non. C'est impossible. »

Mais son interlocutrice refusait d'en démordre.

« Je suis sûre que c'est vrai. »

L'ambassadeur intervint.

« Elsa, vous avez l'air en colère. Pourquoi ? Est-ce que vous le connaissez seulement, ce docteur pakistanais ?

— Non, reconnut Lady Bowker.

— Alors ne parlez pas ainsi. C'est l'homme le plus merveilleux qui soit. Un vrai gentleman. Très intelligent. Très gentil. Votre amie a de la chance d'être tombée sur un homme tel que lui.

— Vous me voyez stupéfaite », répliqua alors Lady Bowker.

Beaucoup estiment que si la princesse avait décidé de garder le secret sur sa liaison avec Hasnat Khan, y compris avec ses proches, c'est précisément parce qu'elle la considérait comme une relation sérieuse.

Roberto Devorik raconte sa déception. Jusque-là, explique-t-il, Diana lui avait toujours parlé de ses aventures. Il ajoute : « Mais cette fois, c'était différent. » Pour lui, si Diana ne voulait rien dire, c'est justement parce qu'elle lui accordait une valeur particulière. Robert poursuit : « Les autres, Diana m'en parlait avec des rires moqueurs. Je lui répondais : "Il doit être séduisant" ou : "Tu dois t'amuser avec lui." Mais Khan, c'était autre chose. On avait l'impression qu'elle voulait le protéger. J'avais beau poser des questions, rien à faire. Je comprenais ce que ça signifiait. Et je lui disais : "Bingo. C'est du sérieux, alors." »

Un jour, Devorik vint à Kensington Palace voir la princesse. Il allait franchir les portes quand il fut prié de bien vouloir patienter un moment dans la voiture. On lui dirait quand il pourrait passer. Roberto s'arma de patience. C'est alors que Paul Burrell apparut et lui dit :

« Roberto, êtes-vous certain d'avoir rendez-vous aujourd'hui ?

— Absolument », répondit Devorik.

Il expliquait à Burrell que Diana l'avait invité pour le thé, quand il la vit s'approcher.

« Roberto ! s'exclama-t-elle. Mais c'est demain que nous avions rendez-vous !

— Oh ! mon Dieu », dit Devorik.

Il s'était en effet trompé de jour. Il reprit :

« Bon, écoute, maintenant que je suis là... Tu sais que j'adore tes canapés au concombre. En plus, nous avons des choses à nous dire. Alors s'il te plaît, laisse-moi entrer...

— D'accord, dit-elle. Mais j'attends la visite de représentants d'une œuvre caritative dans une heure. Quand ces personnes seront là, je descendrai pour les recevoir, et il faudra que tu t'en ailles. »

En y repensant, Devorik dit aujourd'hui : « C'était quelqu'un d'autre qui venait la voir. Comme prévu, elle m'a fait sortir, elle ne me l'a jamais présenté. »

Un soir, Devorik alla chercher un ami dans un hôtel à Knightsbridge. Ce dernier lui dit :

« Ta copine, la princesse de Galles, je l'ai vue entrer ici.

— Tu es sûr ?

— Et comment ! »

Devorik décida d'interroger Diana à la première occasion.

« Cette fois, tu es coincée ! lui dit-il. Je veux savoir avec qui tu étais dans cet hôtel à Knightsbridge. »

Diana répondit qu'elle y avait loué un salon privé pour dîner avec le Dr Khan et quelques amis pakistanais. Elle n'avait pas voulu les recevoir au palais, car elle tenait à une réception vraiment privée.

«Je me suis senti trahi, dit aujourd'hui Devorik, et d'une façon bizarre.» N'avait-il pas beaucoup partagé avec la princesse – les voyages, les longs coups de téléphone désespérés à des heures impossibles ? Pourquoi, dès lors, ne pas partager cela aussi ? Il ne sera pas le seul à exprimer un tel sentiment.

Diana devait avouer à Simone Simmons ne pas savoir pourquoi Hasnat Khan exerçait sur elle un si fort attrait. Est-ce parce qu'il différait en tous points des hommes qu'elle avait connus ? Il est vrai qu'elle l'admirait énormément. Elle le considérait comme un génie, en tout cas dans le domaine de la chirurgie cardiaque. Et bon nombre l'auraient approuvée sur ce point.

Mais Diana vibrait pour d'autres facettes de la vie de Khan, qui la poussaient à souhaiter le connaître chaque jour davantage. C'est ainsi qu'elle finit par naturellement s'intéresser à la famille qu'il avait au Pakistan – une famille nombreuse et unie.

Diana se sentait comme une étrangère chez les Windsor. Et elle était également bien souvent en conflit avec sa propre famille. Aussi était-elle en quête d'une famille d'adoption. Elle répondait volontiers aux invitations du professeur Magdi Yacoub, le chef d'Hasnat, chez qui elle se sentait comme chez elle. De même avait-elle ses habitudes chez Lady Annabel Goldsmith qui vivait à Ormeley Lodge, dans le quartier de Ham Common, près de Richmond's Park. Lady Goldsmith est la mère de Jemima Khan. Diana et Jemima évoquaient ensemble ce que signifiait épouser un Oriental[1] Lady Goldsmith se souvient que la princesse venait

---

1. Jemima, fille du magnat de la presse James Goldsmith, a épousé le Pakistanais Imran Khan, ancienne gloire du cricket reconverti en politique, à Londres, en mai 1995. *(N.d.T.)*

déjeuner à Ormeley Lodge le samedi et le dimanche. Elle raconte : « Chez nous, les repas sont généralement chaotiques. Chacun se sert. Et tout est vite englouti. Je me rappelle que Diana s'était mise à nous chronométrer. "Bravo ! disait-elle. Aujourd'hui, vous avez battu tous les records ! Vous avez déjeuné en quinze minutes !" Autour de la table, c'était le rire général. Tout le monde parlait en même temps. Nous sommes une famille sans cérémonial. Et Diana adorait ça. Elle arrivait en voiture, après s'être débrouillée pour semer les paparazzi. Elle se faufilait chez nous par la porte de derrière, en essayant d'échapper aux chiens. Elle disait bonjour au personnel. Dès qu'elle était là, elle commençait à amuser la galerie. Ses bons mots et ses reparties étaient un ingrédient essentiel de nos déjeuners dominicaux, pas de doute. Après le café, elle proposait souvent d'apporter elle-même les tasses à la cuisine. Combien de fois l'ai-je même trouvée en train de faire la vaisselle[1] ! »

Diana cherchait une famille à laquelle appartenir, qu'elle pourrait considérer comme la sienne, où elle se sentirait aimée et désirée ; cette quête l'amènerait bientôt à entrer dans un clan de l'aristocratie pachtoune.

1. In *Requiem: Diana, Princess of Wales 1961-1997*, *op. cit.*

13

«Je suis sûre que nous nous sommes déjà rencontrés»

Un monde à part. Loin de l'agitation de la ville moderne et polluée de Lahore, au Pakistan, se trouve ce quartier cossu de Model Town, l'équivalent de Chelsea, à Londres. Le calme y règne, les larges rues sont bordées de palmiers derrière lesquels se cachent d'immenses maisons, souvent à deux ou trois étages, avec de grands balcons et de vastes jardins.

Les familles qui habitent là comptent parmi les plus riches, les plus privilégiées, les mieux éduquées et les plus puissantes du pays. Le quartier abrite des médecins, des écrivains, des avocats, des professeurs et des politiciens. L'ancien Premier ministre Nawaz Sharif y possédait une résidence avant d'être condamné à la prison à vie pour terrorisme et kidnapping.

Non loin d'une des rues les plus passantes, une lourde porte en fer forgé ouvre sur une imposante maison jaune de style colonial. Sur la pelouse, devant le bâtiment, des enfants jouent au cricket à grand renfort de cris enthousiastes. C'est la demeure de la famille Khan.

Un ventilateur tourne dans un coin de la pièce, tandis que les rideaux de mousseline flottent dans le courant d'air chaud de ce début d'après-midi. Les sols en tomette sont nus, mis à part quelques petits tapis. Au milieu d'une pièce aux murs blancs, une vieille femme est agenouillée en position de prière. Née le 13 janvier 1911 à Ferozepur, dans l'Inde actuelle, elle se nomme Nanny Appa. En 1947, peu après la partition de l'Inde et du Pakistan, elle et son mari se sont installés à Lahore, dans la maison coloniale aux trois étages de Model Town.

Appa a donné naissance à huit enfants. Sa fille, Naheed, est la mère d'Hasnat.

La maison elle-même est imposante, avec ses vastes pièces et sa grande hauteur sous plafond. Partout y résonnent des voix d'enfants, comme ce fut sans doute toujours le cas. Trois générations vivent ici.

Pendant les mois d'été, les ventilateurs des plafonds s'escriment à créer un mince filet d'air, qui ne suffit pas cependant à faire oublier des températures qui dépassent souvent les quarante degrés. L'hiver, en revanche, le thermomètre peut chuter en dessous de zéro. La plupart des vieilles maisons au Pakistan n'ont pas de chauffage central, et il y règne un froid glacial. Les sols carrelés sont gelés et les hauts plafonds absorbent la moindre particule de chaleur. Mais Nanny Appa ne ressent pas le froid. Malgré son âge avancé, elle est la seule de la maisonnée à ne pas réclamer une couverture ou un chauffage d'appoint pendant l'hiver. Elle ouvre même la fenêtre pendant la nuit pour laisser entrer l'air pur, se moquant des jeunes et de leur frilosité.

Bien que les employés de maison soient censés s'occuper de tout – repas, ménage et lessive –, Nanny Appa passe la plupart de ses matinées dans la cuisine, à peler des carottes ou à mitonner un bon petit plat. Évidemment, elle refuse d'utiliser tout ustensile moderne. Elle préfère cuisiner à l'ancienne.

Nanny Appa a imprégné la demeure de Model Town de son équilibre et de sa chaleur. Elle incarne l'esprit de la maison, un havre de valeurs passées de mode, un endroit idyllique où règnent générosité et compassion.

Sa prière terminée, elle soupire profondément. Elle doit sûrement penser à Diana, la femme qu'elle considère comme sa fille adoptive et pour qui elle prie tous les jours.

Dans un coin d'une des chambres d'amis se dresse une armoire en bois. Appa se dirige vers elle, l'humeur sombre. Sur les trois étagères de droite, la vieille femme explique qu'elle garde tout ce qui, dans sa vie, a eu une importance. Parmi les souvenirs et reliques se trouvent deux enveloppes qui contiennent des lettres et des cartes postales. Elle les sort de l'armoire avec précaution, les saisissant avec tout le respect que l'on pourrait manifester à des reliques sacrées. Elle fait remarquer qu'il n'y a que peu de choses dans cette armoire, mais celles-ci, ajoute-t-elle « comptent beaucoup ».

De retour dans sa chambre, elle vide le contenu des enveloppes sur son lit, à côté d'un bol en argent et de bougies parfumées. Une telle mise en scène est réservée à des visiteurs privilégiés, car, pour elle, ces lettres, cartes et cadeaux sont les souvenirs chéris d'une personne aimée.

Ses émotions refont très vite surface, lorsqu'elle pense à la princesse. En contemplant les cartes postales, dont l'une représente les *Nymphéas* de Monet – un pont au-dessus d'une rivière – et l'autre, un tableau de Sir Lawrence Alma-Tadema, les larmes lui viennent aux yeux. « Celle que j'aimais n'est plus, et j'en suis si triste. »

C'est par Appa que la famille a eu vent de la relation qui se nouait entre Hasnat et Diana, grâce à une carte reçue à Noël. Nanny Appa et Hasnat ont toujours été très proches. Elle s'est occupée de lui lorsqu'il était petit, prenant le relais de sa mère. Quand Hasnat a parlé de sa grand-mère à Diana, celle-ci a décidé de lui envoyer ses vœux. C'était en décembre 1995 et, quand le courrier est arrivé – une photo de Diana avec ses deux fils souhaitant un joyeux Noël et une bonne année –, toute la famille a été vraiment décontenancée. La carte semblait tombée du ciel. C'était une réelle surprise pour tout le monde. Chacun dans la famille se perdait en conjectures : comment la princesse Diana avait-elle bien pu entendre parler d'Appa ?

Une des théories était qu'elle avait dû décider d'envoyer ses vœux à toute une série de personnes âgées dans le monde, et qu'Appa s'était retrouvée sur la liste. Ce n'est que bien plus tard que la famille a compris la raison d'être de la carte…

Les deux années suivantes, Diana a noué une relation d'une incroyable force avec Nanny Appa, à travers des lettres, des échanges de cadeaux, des fleurs et des visites dès que l'occasion s'en présentait. Diana racontait à Appa ce qui se passait à Kensington Palace, ce que faisaient ses enfants et comment se déroulait leur éducation. Elle parlait souvent de ses bonnes œuvres et de son besoin de s'occuper des nécessiteux à travers le monde. Elle envoyait des cartes ou des lettres sur du papier ordinaire. Elle s'exprimait simplement, amicalement, comme une fille qui s'adresserait à sa mère.

À la lecture de ses courriers, tous écrits à la main, se dessine le lien grandissant qui unit Diana à la famille Khan. Les premiers temps, peu après sa rencontre avec le cardiologue, Diana a avoué penser souvent aux autres membres de sa famille, et désirer profondément les rencontrer – uniquement dans la mesure, bien sûr, où Hasnat le lui permettrait. Plus tard, après avoir fait connaissance avec la famille Khan, elle a exprimé dans ses lettres sa joie d'avoir passé du temps avec eux et sa gratitude devant leurs magnifiques présents – une table et des porcelaines chinoises –, dont elle se sentait bien sûr indigne. Elle y manifestait chaque fois sa plus profonde affection à Appa.

L'échange de lettres et de cadeaux se poursuivra jusqu'à la mort de Diana et, peu à peu, Nanny Appa a commencé à l'aimer comme sa propre fille. Ses présents à la princesse étaient en général simples et personnels, comme un *shalwar kameez* jaune ou un foulard.

Diana avait un autre lien avec la famille Khan, même si elle ne s'en est pas tout de suite souvenue. Par une incroyable coïncidence, elle avait rencontré un des oncles d'Hasnat, le professeur Jawad Khan, lui aussi cardiologue, en 1979.

Pas très loin de Model Town se trouve une bâtisse blanche de deux étages qui abrite l'Institut pakistanais de cardiologie. Son parking est envahi par les gravats, comme on le voit dans beaucoup de pays orientaux en voie d'occidentalisation. Mais les nids-de-poule sont ici le signe que les chantiers ont été abandonnés avant même leur achèvement, par manque d'argent ou parce que les investissements ont été consacrés à autre chose.

Dans l'hôpital, les couloirs sont noirs de monde. Les salles d'attente sont combles. C'est l'un des plus grands centres de chirurgie cardiaque du Pakistan. Deux étages plus haut se trouve le bureau du chef de service, le professeur Jawad Khan.

Jawad, avec qui Diana a tissé des liens forts, est le deuxième fils d'Appa. Dans son bureau, il examine la radio d'un garçon de quatorze ans dont le cœur est aussi gros qu'un ballon de football. Un interne entre en courant et lui apprend qu'un patient fraîchement opéré souffre de complications. Trois autres chirurgiens l'attendent pour discuter des horaires de travail et du rôle de chacun dans le bloc. Le téléphone sonne sans arrêt.

Jawad fait face à ses interlocuteurs avec la lassitude d'un homme qui a conscience d'avoir une tâche impossible à assumer. Il doit s'occuper de mille deux cents à mille cinq cents cas pas an, une trentaine par semaine, avec des budgets misérables et un matériel hors d'âge. Les changements de gouvernements successifs ont laissé le système de santé exsangue. Mais le dévouement du professeur Khan à son métier et à son pays est total. Il accepte l'inéluctable, fermement déterminé à faire tout ce qui est en son pouvoir pour améliorer les choses.

Quand on lui parle de Diana, son regard se met à briller d'une lueur enjouée et empreinte de fierté qui l'emporte bien loin de son environnement immédiat. Oubliés le stress et les contraintes de sa profession. Il s'anime aussitôt et prend des accents de conteur qui s'apprête à vous révéler une histoire extraordinaire.

Le professeur Jawad est le premier membre de la famille à avoir rencontré la princesse, comme il le raconte fièrement. Cela s'est déroulé dans l'hôpital même où elle allait faire la connaissance d'Hasnat près de dix-sept ans plus tard. L'ironie n'échappe pas au professeur alors qu'il raconte cette première rencontre.

À la fin des années 1970, Jawad Khan était un jeune interne dans le service du professeur Magdi Yacoub. Comme son neveu plus tard, il travaille au Royal Brompton Hospital dans South Kensington.

En septembre 1978, le père de Diana, âgé de cinquante-quatre ans, fut victime d'une attaque cérébrale très violente. Diana avait alors dix-sept ans.

Le comte Spencer est resté dans le coma pendant plusieurs semaines et la belle-mère de Diana, Raine, ancienne comtesse de Dartmouth, l'a fait soigner au National Hospital for Central Nervous Diseases, au cœur de Londres. Deux mois plus tard, quand le comte Spencer a fait une rechute, il a été transféré au Royal Brompton. Il y est resté de novembre 1978 à janvier 1979.

Jawad Khan se souvient des deux jeunes femmes qui prenaient place dans la salle d'attente. Elles venaient tous les jours, sans exception, et restaient là plusieurs heures. Il a finalement appris que l'une d'entre elles était la sœur aînée de Diana, et l'autre Diana elle-même.

Jane était leur porte-parole. Elle demandait souvent des précisions sur l'état de santé de leur père et le Dr Khan tentait de répondre de son mieux. Il se rendait bien compte que Diana était trop bouleversée pour poser la moindre question. Elle laissait faire sa sœur mais prêtait une grande attention aux réponses.

Sa deuxième rencontre avec Diana a également été le fruit d'une coïncidence. C'était en septembre 1991, à l'occasion du voyage en solitaire de Diana au Pakistan, alors qu'elle était escortée par Seyeda Abida Hussain, le cinquième jour de sa visite.

Le 26 septembre, le professeur Jawad Khan faisait partie d'un groupe de médecins du King Edward Medical College de Lahore, qui devait être présenté à la princesse. Diana leur a serré la main, posant parfois une question à l'un d'eux. Quand elle s'est trouvée face au professeur Khan, elle s'est arrêtée et lui a dit : «Je suis sûre que nous nous sommes déjà rencontrés.»

Jawad Khan, tout à sa surprise, lui a simplement répondu : «Oui, madame. Nous nous sommes rencontrés lorsque votre père était malade.» Il était très surpris qu'elle le reconnaisse après treize ans.

Diana était loin de se douter qu'à peine quatre ans plus tard elle tomberait amoureuse du neveu de cet homme et retournerait au Royal Brompton Hospital, non pas pour attendre timidement cette fois, mais pour rencontrer des malades et assister à des opérations.

Plusieurs membres de la famille Khan vivent en Grande-Bretagne. Parmi eux, Hasnat est très proche de son oncle Omar, un autre fils d'Appa, et de sa tante Jane, une avocate d'origine anglaise. Quand Diana fait leur connaissance, Omar et Jane vivent à Stratford-upon-Avon. Diana cache sa relation avec Hasnat même à ses amis les plus proches, mais le couple passe souvent du temps chez Omar et Jane, et Diana, au fil du temps, se lie d'amitié avec eux. Elle apprécie l'atmosphère informelle et tranquille de leur demeure, ainsi que la possibilité d'échapper un moment à la pression de sa vie, tout en ayant le sentiment de faire partie de cette grande famille.

Outre son goût pour l'immersion dans des cultures différentes, Diana est très intéressée par les femmes qui sont parvenues à combler le fossé entre les cultures orientale et occidentale. Jane, la femme d'Omar, est entrée dans la famille Khan quelques années auparavant. En tant qu'Anglaise, elle a dû se rendre à Lahore et affronter les questions pressantes de la famille à propos de son mariage avec l'un des leurs. Diana prête aussi une grande attention à Jemima Khan qui, six mois plus tôt, a épousé le célèbre joueur de cricket Imran Khan.

Selon un autre des oncles d'Hasnat, Ashfaq Ahmed, frère de Nanny Appa et dramaturge reconnu au Pakistan, Diana a rencontré Jane et Omar en se rendant chez eux avec Hasnat qui voulait récupérer certains de ses livres de médecine, laissés là au moment où il préparait un examen. Ils avaient prévu de passer le week-end ensemble, mais Hasnat a annoncé à Diana qu'il devait annuler, car il avait absolument besoin de ses livres. Diana lui répondit alors : «Très bien, je viens avec toi. Je te tiendrai compagnie dans la voiture !» Quand ils sont arrivés chez Jane et Omar, après les salutations d'usage, on leur a servi le thé.

Quelques heures plus tard, quand Hasnat a lancé : «Bon, il va falloir y aller !», Diana lui a demandé : «Et tes livres ? Tu es venu jusqu'ici pour les rapporter à Londres.» «Ils sont trop lourds», a-t-il répliqué. Diana lui a alors proposé son aide. Elle est montée à l'étage et lui a dit : «Effectivement, ils sont très lourds, mais j'ai une idée. Je te les lance depuis le palier et tu les attrapes, à la manière des maçons.» Un par un, les quinze livres ont été descendus ainsi.

Diana pouvait passer du temps à se relaxer dans la maison de Stratford-upon-Avon. Comme elle le faisait chez elle, elle s'adonnait aux tâches domestiques qu'elle aimait tant. Elle débarrassait la table, mettait les assiettes dans le lave-vaisselle, puis s'installait devant la cheminée, discutait ou regardait la télévision. Elle se sentait à l'aise avec les membres de la famille d'Hasnat qu'elle avait rencontrés, et toute une partie de sa vie qui avait été si longtemps en déshérence devenait peu à peu comblée.

14

«J'ai fini mon repassage, tu veux que je m'occupe du tien ?»

Au début de l'année 1996, la princesse s'efforçait de recoller les morceaux de sa vie, et d'obtenir que le divorce soit prononcé aux meilleures conditions possibles. La fin de mariage avec Charles n'était plus qu'une question de mois. Trois ans, presque jour pour jour, après que la séparation du couple eut été rendue publique, la reine avait écrit à Diana pour la presser solennellement de divorcer. La famille royale ne voyait pas d'autre solution. La reine avait d'ailleurs dit à son Premier ministre qu'un divorce devrait intervenir rapidement, ajoutant qu'il y allait de «l'intérêt du pays».

Depuis qu'Andrew Morton avait publié un livre sur elle, Diana était accusée d'aliénation mentale, et ses déclarations lors de l'interview accordée à «Panorama» étaient soigneusement exploitées en ce sens.

Pourtant, ce fameux 20 novembre 1995, jour de l'émission à la BBC, il n'était pas dans les intentions de la princesse de précipiter son divorce. En fait, elle était même convaincue que son mariage pouvait encore être sauvé. Il suffisait de repartir sur de nouvelles bases, pensait-elle, dans un souci d'indépendance et de respect.

Puis l'amère vérité avait éclaté. Le choc fut sévère. D'après Simone Simmons, la nouvelle détruisit Diana. « Elle ne dormait plus, dit-elle. Elle a commencé à prendre des somnifères vraiment forts. Elle pleurait tout le temps. »

Après avoir passé les fêtes de Noël seule à Kensington Palace, Diana s'envola le 27 décembre pour le K Club, un complexe huppé sur l'île de la Barbade. Elle était accompagnée de Victoria Mendham, sa secrétaire particulière âgée de vingt-six ans. L'interview à « Panorama » avait eu pour conséquence, entre autres, de lui faire perdre deux membres importants de son équipe. D'abord Geoffrey Crawford, son attaché de presse, qui avait démissionné aussitôt après l'émission. Ensuite Patrick Jephson, son secrétaire particulier, parti également au terme de huit années de bons et loyaux services. Aux yeux de plusieurs observateurs, Diana traversait une passe périlleuse – tout s'écroulait autour d'elle.

En ce début d'année 1996, le téléphone sonna dans l'atelier du couturier Rizwan Beyg, à Karachi, dans le sud du Pakistan. C'est Beyg lui-même qui décrocha. Il entendit à l'autre bout du fil la voix de Jemima Khan. Jemima appelait pour l'informer que la princesse Diana projetait de venir passer deux jours au Pakistan. Pourquoi Beyg ne prendrait-il pas un avion pour Lahore avec des échantillons de ses créations ? Ce voyage serait pour lui une chance inespérée de proposer des idées de robes à Diana. Le couturier demanda à Jemima si elle connaissait le programme de la princesse. Jemima lui répondit que Diana venait accompagnée de Lady Annabel Goldsmith, la mère de Jemima. Elle espérait lever des fonds pour l'hôpital.

Rizwan Beyg ne tenait plus de joie. Il n'avait jamais dessiné de robe pour une princesse. Et Diana était rien

Portrait de Diana pris
en septembre 1995,
le mois où elle
a rencontré
Hasnat Khan pour
la première fois.

Le professeur Akbar Ahmed lors de sa conférence sur l'islam à l'Institut royal d'anthropologie, à laquelle Diana assiste attentivement.

Diana, lors de son voyage au Pakistan en 1991, en compagnie de son guide, Abida Hussain. À cette femme, la princesse a exprimé le vœu de rencontrer un homme qui serait un trait d'union entre l'Orient et l'Occident.

Posant devant le Taj Mahal, le plus grand monument au monde dédié à l'amour, Diana n'en paraît que plus seule.

Aux sœurs de la Charité de Mère Teresa, Diana fait part de son sentiment d'avoir elle aussi une mission à remplir pour aider ceux qui souffrent.

Le couturier pakistanais Rizwan Beyg a dessiné pour Diana ce *shalwar kameez*, vêtement traditionnel qu'elle portera désormais régulièrement.

En compagnie d'Imran et Jemima Khan, un couple mixte qui lui sert de modèle. À l'ancien joueur de cricket, elle exprimera son désir d'épouser Hasnat.

À Londres, la princesse assiste à une première en compagnie de son ami Roberto Devorik.

Le Royal Brompton Hospital de Londres reçoit souvent la visite de Diana.

Le docteur Hasnat Khan quittant le Northwick Park Hospital.

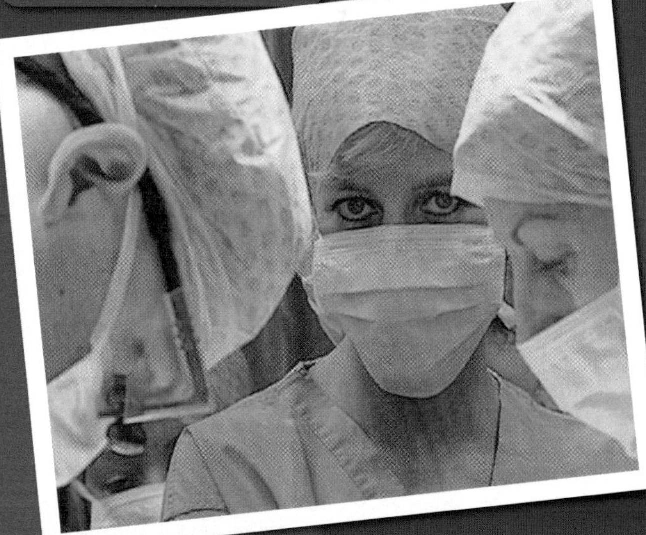

Diana a assisté au cours de sa vie à plusieurs opérations, dont certaines à cœur ouvert.

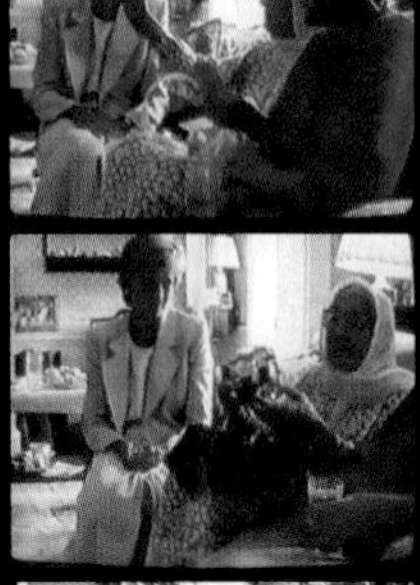

Diana reçoit les membres de la famille Khan à Kensington Palace. Nanny Appa ouvre le cadeau que Diana lui a réservé.

Nanny Appa feuillette avec tristesse les nombreuses cartes qu'elle a reçues de la princesse.

Diana avait demandé à Nanny Appa de lui donner une photo d'elle en compagnie d'Hasnat, afin de la garder toujours sur elle.

La maison de Model Town, où la princesse a rencontré en mai 1997 les parents d'Hasnat.

Le fameux « baiser ». On a longtemps cru qu'il s'agissait d'une photo volée, mais Diana avait tout orchestré.

À bord du *Jonikal*, Diana appelle toujours aussi souvent ses proches, à moins qu'elle ne renseigne quelque paparazzo…

Une femme plus forte, plus confiante, traverse un champ de mines en Angola.

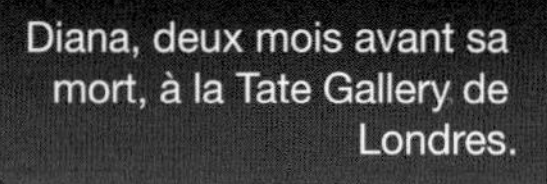

Diana, deux mois avant sa mort, à la Tate Gallery de Londres.

Hasnat Khan, effondré, lors des funérailles de la princesse.

moins que la femme la plus célèbre du monde ! Il était transporté d'enthousiasme à l'idée qu'elle puisse porter un jour l'une de ses créations. Une semaine plus tard, il prenait l'avion pour Lahore, emportant avec lui des dessins et des échantillons de tissu.

À Lahore, il rencontra Jemima Khan, ainsi qu'une des sœurs d'Imran Khan, prénommée Aleema. Tous trois eurent une longue discussion sur le genre de robes qu'il convenait d'envisager, et tombèrent d'accord sur trois toilettes susceptibles d'être portées par Diana lors de ses visites à l'hôpital. Il y aurait une tenue principale, fut-il décidé, et deux autres en option, plus ethniques dans la forme et dans le style.

Il s'agissait dans les trois cas de vêtements aux coloris pâles et classiques, brodés de perles. Beyg, qui avait étudié attentivement le style de Diana, pensait qu'elle voudrait probablement porter quelque chose de spécial. Il avait compris qu'elle traversait une phase d'évolution personnelle, et qu'elle inclinerait à choisir les toilettes les mieux à même d'exprimer son nouvel état d'esprit. « La mode, dit-il, exprime l'individualité de la personne. Au Pakistan, les matières sont presque toujours les mêmes. Il y a des tissus de base. Ensuite, ce sont les broderies, les ornements et la coupe qui font la différence. Mais le vêtement, quel qu'il soit, révèle la personnalité. » Il sentait que Diana avait une idée précise du style qu'elle souhaitait. Elle avait d'ailleurs exprimé son intention de porter un *shalwar kameez*. Autrement dit, elle était prête à embrasser d'autres idées, d'autres cultures.

Beyg rentra à Karachi. Il avait hâte de regagner son atelier. Jemima lui avait fourni à peu de chose près les mensurations de la princesse. Il ne lui restait plus qu'à s'atteler à la tâche, en priant pour que les futurs essayages donnent à Diana toute satisfaction.

Il réfléchit longtemps au style précis qu'il convenait d'adopter pour la robe principale, et opta finalement pour un *achkan* – costume traditionnel porté par les Pakistanais lors des cérémonies de mariage. Naturellement, Beyg envisageait de redessiner ce vêtement dans un esprit plus doux, plus féminin. Il renonça au col mandarin classique au profit d'un demi-col dont l'ouverture profonde en forme de « V » sublimait le cou. Pour le coloris, il choisit un ivoire pâle. Il ajouta des perles, sachant que Diana les adorait. Le costume était entièrement brodé. Le pantalon large, serré à la taille, rappellerait le *shalwar* traditionnel – puisque tel était le vœu de la princesse, semblait-il.

Le couturier se mit à l'œuvre avec son équipe. Les broderies à elles seules exigèrent plus de deux cents heures de travail. Et il fallut trois semaines pour achever entièrement la tenue. Mais tout était prêt le jour où Diana posa le pied sur le sol du Pakistan.

Le 20 février 1996, le jet privé de couleur verte atterrit à l'aéroport de Lahore, puis s'arrêta au pied du terminal. Diana sortit de l'appareil accompagnée de Lady Annabel, l'épouse du milliardaire Sir James Goldsmith, et de sa nièce, Lady Cosima Somerset.

Personne n'avait dormi durant le voyage. Autant que Lady Annabel s'en souvienne, c'était à cause de Diana qui n'avait cessé de plaisanter et de faire rire tout le monde. « Le jet avait des sièges qui basculaient et se transformaient en lits, dit-elle. Diana avait failli se casser la figure en essayant d'incliner le sien. Elle avait piqué un de ces fous rires ! » Et Cosima d'ajouter : « Une vraie partie de rigolade dans un dortoir[1]. »

---

1. In *Requiem: Diana, Princess of Wales 1961-1997*, *op. cit.*

L'aéroport était envahi de journalistes et de caméras, bien que les radios et les télévisions pakistanaises, sous contrôle de l'État, n'eussent pas l'autorisation de retransmettre l'événement. Benazir Bhutto, le chef du gouvernement, avait par le passé offert son amitié à la princesse. Elle l'avait même invitée personnellement à venir dans son pays. Mais elle voyait dans cette visite une manœuvre de son adversaire politique Imran Khan pour gagner en popularité. Imran Khan avait à plusieurs reprises accusé le gouvernement de Benazir Bhutto de corruption.

Imran Khan était le fondateur du Shaukat Khanum Memorial Cancer Hospital, un centre spécialisé dans le traitement des tumeurs. Ainsi honorait-il la mémoire de sa mère, morte de cette maladie. Mais l'établissement avait essuyé une série de coups durs, et tous ceux qui y travaillaient attendaient beaucoup de la visite de la princesse. Ils espéraient que l'événement contribuerait à redorer le blason de leur hôpital, et encouragerait les donateurs.

La princesse Diana effectuait au Pakistan une visite strictement privée, aussi ne fut-elle accueillie à l'aéroport par aucune délégation officielle. Elle s'embarqua rapidement dans une Mercedes noire avec Lady Annabel et Jemima. Imran Khan en personne avait pris le volant de la voiture. Avec ses passagères, il quitta l'aéroport et se dirigea vers le centre.

En dépit de la censure imposée à la presse, toute la ville attendait Diana. Les réactions du peuple de Lahore étaient incroyables, se souvient aujourd'hui Imran Khan. Lui-même en fut le premier surpris. Il était très rare que ses compatriotes expriment un tel enthousiasme à l'égard de célébrités. En fait, il n'existait aucun précédent d'une personnalité étrangère produisant un tel impact sur le peuple pakistanais. Imran Khan avait lui-même convié à l'inauguration de son hôpital quatre des plus grandes stars du cinéma indien – les vedettes indiennes sont très populaires au Pakistan, bien que les deux pays soient opposés par de profonds antagonismes. Certes, les quatre acteurs avaient déplacé beaucoup de monde, mais ce n'était rien comparé à la ferveur populaire suscitée par la princesse Diana.

À Lahore, Diana séjourna dans une villa de style « hacienda » composée de quatre chambres richement meublées, propriété du milliardaire Jehangir Monnoo. Cet homme d'affaires ami d'Imran Khan avait fait fortune dans le textile et l'agriculture. Sa maison se dressait en plein cœur de Lahore, au bord du canal, dans le quartier chic de Shadman.

La pièce principale regorgeait de trésors orientaux : objets d'art, tapis et peintures. Il y avait à l'extérieur une piscine dotée de plongeoirs, ainsi qu'un jardin d'hiver comprenant jacuzzi, bain de vapeur et sauna. Diana, en entrant dans sa chambre, trouva sur le lit un adorable Snoopy déposé là par Jehangir Monnoo en personne, ainsi qu'une poupée Troll habillée d'un petit tee-shirt portant l'inscription : « L'âge parfait. »

C'est vers 16 heures, ce même après-midi, que le couturier Rizwan Beyg se présenta chez les Monnoo. Pour arriver jusqu'à l'entrée, il dut franchir un important dispositif de sécurité, car les paparazzi massés à l'extérieur – il y en avait jusque dans les arbres – essayaient de voler une image de Diana. Quand il franchit enfin le seuil de la maison, Diana se reposait du voyage au bord de la piscine. Jemima se chargea d'accueillir le couturier, puis alla chercher la princesse. Diana apparut au bout de dix minutes. Elle examina avec soin la tenue ivoire brodée de perles en forme de graines, et en tomba aussitôt amoureuse, car c'était un habit admirablement réalisé. Elle complimenta Beyg pour les broderies qu'elle jugeait extraordinaires. Puis la conversation porta sur la coupe du vêtement, ses motifs, ses coloris. Tous trois passèrent un agréable moment. Mais Beyg attendait anxieusement de savoir si le vêtement qu'il avait apporté irait à la princesse.

« Peut-être devriez-vous l'essayer », suggéra-t-il.

Mais Diana s'excusa. Le décalage horaire, dit-elle, l'avait vraiment exténuée.

« Cela vous ennuie, si je l'essaie plus tard ? »

Beyg était déçu. Mais il pouvait comprendre que Diana ait besoin de récupérer après ce long voyage. Cependant, il lui demanda une faveur. Accepterait-elle, avant de se retirer, de poser avec lui pour une photo ? Diana accepta sans hésiter. Beyg sortit une minute, le temps d'aller dans sa voiture chercher son appareil. Il s'aperçut alors avec dépit qu'il l'avait oublié. Il rejoignit la princesse, désolé. Diana le rassura. Ce n'était pas grave, il n'avait qu'à en emprunter un, elle voulait bien attendre.

Il ne mit pas longtemps à se faire prêter un appareil photo, et quand il revint, il vit Diana dans la tenue ivoire qu'il avait dessinée pour elle. Elle s'était finalement décidée à l'essayer.

« Quitte à poser pour une photo en votre compagnie, dit-elle joyeusement, autant que ce soit dans une de vos créations ! »

Le cliché fut pris. Manifestement, Diana n'était plus fatiguée du tout. Elle pria Beyg de rester et d'accepter un café, ce qu'il fit volontiers. Ils entamèrent une conversation sur la mode, et ce qu'il en était au Pakistan. Beyg expliqua que la situation était très différente chez lui et en Occident. Les défilés, à Lahore, n'avaient rien à voir avec ce qu'ils étaient à Paris, Rome ou New York. Il fallait compter ici avec les contraintes religieuses, car les imams prétendaient définir eux-mêmes le genre de vêtements qui convenait aux Pakistanaises. Néanmoins, les tissus et les styles traditionnels recelaient de véritables trésors.

Le costume que Diana avait revêtu pour la première fois en ce jour de février 1996 devait être amplement photographié quelques mois plus tard, quand la nouvelle du divorce devint officielle ; il s'imprégna même en cette occasion d'une signification profonde.

Le lendemain de sa rencontre avec Beyg, la princesse visita l'hôpital d'Imran Khan. L'établissement avait coûté quinze millions de livres. Le Pakistan, explique Khan, compte chaque année cinq cent mille nouveaux cas de cancer, et son hôpital est le seul du pays à être spécialisé dans cette maladie.

C'est un centre de soins impressionnant. Moderne et propre, bâti dans la banlieue de Lahore, il emploie six cents personnes et admet gratuitement des patients dont la plupart sont extrêmement pauvres. Son budget – pour ne pas dire sa survie – repose presque entièrement sur les donations, et il s'est trouvé à plusieurs reprises menacé de faillite. Imran Khan ne parvient à y faire entrer de l'argent qu'à force d'événements médiatiques et d'appels à la générosité. Sans cet hôpital, les malades riches iraient se faire soigner à l'étranger, tandis que les pauvres, eux, seraient tout simplement condamnés à mort.

Diana passa d'un service à l'autre. Elle s'arrêta longuement auprès des enfants malades. Ce qu'elle voyait la bouleversait. Elle voulait absolument qu'on lui dise ce qu'elle pouvait faire pour être utile. Mais sa simple présence représentait déjà beaucoup. Chacun la ressentit d'ailleurs comme une force stimulante.

Dehors, aux abords de l'hôpital, on avait dressé une tente géante. Diana s'y rendit après sa visite. Les enfants firent la queue pour venir la voir. Tous avaient l'espoir de lui serrer la main ou qu'elle les prenne un instant sur ses genoux. L'un d'eux s'appelait Ashraf Mohammed. C'était un garçon de sept ans, qui souffrait d'une tumeur au cerveau.

C'est en berçant Ashraf entre ses bras que la princesse assista au spectacle donné par les enfants. Imran Khan se rappelle que le jeune malade était dans un état terrible. Il avait une tumeur suppurante, et il sentait affreusement mauvais. « Je sentais son odeur, explique Imran Khan, alors que j'étais assis à plusieurs mètres de lui avec Jemima. » C'en était insupportable. Et pourtant, Diana restait imperturbable. Elle garda Ashraf dans ses bras pendant une demi-heure. Elle voyait en lui un petit garçon, pas un malade. Elle le dorlotait comme son propre enfant.

Après le spectacle, elle s'entretint avec la mère d'Ashraf. Elle lui promit de se mettre en quête d'une solution. Elle voulait que ce garçon puisse être soigné quelque part. On le transporterait à l'étranger s'il le fallait.

Diana, comme à son habitude, s'impliquait entièrement dans sa démarche en faveur des faibles. Mais, en dehors des visites, elle ne pouvait dissimuler le vide émotionnel qui l'habitait. Imran Khan affirme avoir perçu ce trouble durant le bref séjour de la princesse à Lahore. Il voyait combien elle était seule et déstabilisée. Il croyait aussi pouvoir deviner en elle « quelque chose de sauvage ». Il sentait qu'il avait affaire « plus ou moins à une rebelle ». Et Imran Khan de poursuivre : « Il y avait chez elle une insatisfaction profonde, qui tenait à sa vie privée. Son existence ne la rendait pas heureuse. Elle aspirait sans doute à plus de sécurité. Elle aurait voulu avoir une famille autour d'elle. En même temps, c'était une femme imprégnée d'une compassion totale. Elle voulait donner aux autres. Surtout aux défavorisés. Et aux personnes qui souffraient. C'était chez elle une attitude parfaitement authentique. Et c'était la raison pour laquelle elle inspirait tellement d'amour et de respect. »

Ainsi, pour Imran Khan, la popularité de la princesse trouvait-elle son origine dans un tempérament unique. « C'était une femme attirante et glamour, dit-il. Ainsi qu'une personnalité royale. Mais elle était habitée aussi par cette immense compassion. Et c'est la combinaison de ces ingrédients qui faisait d'elle un grand personnage. » Pour lui, Diana n'avait aucun préjugé en matière de race, de nationalité ou de religion. « Elle semblait au-dessus de tout ça », se souvient-il.

Le famille du petit Ashraf devait apprendre dix-huit mois plus tard la mort de la princesse Diana. D'abord, ils n'en parlèrent pas à l'enfant. Mais inévitablement, la nouvelle lui parvint. Ses frères, ses sœurs, ses cousins n'avaient pu tenir leur langue.

« C'est la volonté de Dieu », dit-il simplement.

Ces mots furent les derniers qui sortirent de sa bouche ; il ne devait plus jamais prononcer une seule parole.

Conformément au souhait exprimé par Diana, une campagne fut organisée pour lui dans les médias. Le but de cette action était d'obtenir le transfert du patient dans un hôpital de Londres. Mais Ashraf était trop mal en point. Il ne put jamais faire ce déplacement. Il mourut la dernière semaine de janvier 2000.

Après la visite, Diana et ses accompagnateurs retournèrent chez les Monnoo se laver et se changer pour le banquet de charité donné le soir même. Ce dîner de cinq cents convives était destiné à fêter le ramadan, mais aussi à lever des fonds pour l'hôpital.

Tandis que Diana et Lady Annabel se préparaient, il y eut une coupure d'eau et d'électricité. Lady Annabel fut contrainte de se doucher sous un mince filet d'eau, à la lueur d'une lampe de poche. Diana, pendant ce temps, essayait elle aussi de prendre un bain, mais elle était sans cesse dérangée par les gens de maison. L'un d'eux apparut à un moment dans la salle de bains, tenant d'une main un exemplaire du Coran – un cadeau pour elle – et de l'autre, un carnet et un stylo. Il venait demander un autographe. La princesse arrivait à séduire tout le monde, y compris le personnel à son service. Du reste, elle se sentait comme chez elle dans cette belle villa. Pendant la coupure d'électricité, elle discuta avec les serviteurs de la couleur du vernis à ongles qu'elle allait choisir. Elle leur demanda aussi des conseils car elle souhaitait s'acheter des sandales au marché.

Puis l'électricité revint. Lady Annabel entendit alors à l'étage des bruits étranges. Elle tendit l'oreille. Le silence se fit brusquement. Soudain, Diana appela Lady Annabel du haut de l'escalier :

« J'ai fini mon repassage, tu veux que je m'occupe du tien ? »

Au cours du dîner, quelqu'un annonça au micro que la princesse acceptait de signer quelques autographes. Aussitôt, des centaines de femmes se dirigèrent vers sa table. Diana fut entourée par une foule joyeuse. Cet empressement la fit éclater de rire.

« Vous n'avez qu'à signer vous-mêmes de mon nom ! disait-elle gaiement à ses admiratrices. Ce n'est pas si difficile à imiter ! »

Grâce à elle, des sommes importantes furent réunies en faveur de l'hôpital. Mais sa visite au Pakistan obéissait aussi à des motivations personnelles. Elle était très proche, désormais, de Jemima. Or Jemima avait épousé en mai 1995 Imran Khan, de vingt-deux ans son aîné. Et Diana montrait une grande curiosité à l'égard de ce couple. Elle cherchait à en étudier « la mécanique ». Sur quel genre de relation reposait-il ? Leur union semblait combiner harmonieusement la liberté occidentale et la spiritualité orientale – cette religion qui l'avait si vivement intéressée, et dont elle s'était entretenue avec Abida Hussain lors de son précédent voyage au Pakistan en 1991.

Diana s'aperçut que Jemima avait réussi sa mutation. La jeune Occidentale était devenue une parfaite épouse d'Asie Mineure, malgré les fortes résistances qu'elle avait dû affronter, d'un côté comme de l'autre. Les Britanniques l'avaient accusée de trahison, et les Pakistanais lui avaient laissé entendre qu'elle n'avait nullement le droit de prendre pour mari leur héros national.

Diana s'inspirait de l'exemple de Jemima pour analyser ses propres sentiments envers le Dr Hasnat Khan. Elle se sentait de plus en plus attachée à cet homme. Mais que signifiait épouser quelqu'un d'une autre religion ? Diana et Jemima firent ensemble l'inventaire des points positifs et négatifs. La princesse était fascinée par la culture orientale. Cette tradition la séduisait en particulier parce qu'elle cultivait des liens familiaux très forts. En Orient, avait observé Diana, la famille était entendue comme une communauté large au sein de laquelle on permettait aux mères et aux enfants de vivre ensemble. Pour Diana, le contraste était flagrant – et séduisant – avec sa propre expérience dans la famille royale. Elle n'avait rencontré chez les Windsor qu'attitudes distantes et glaciales. À l'inverse, Jemima avait été chaleureusement accueillie dans une famille composée du père d'Imran, de ses sœurs et de leurs époux. Il y avait aussi les enfants. Comme Jemima l'a écrit, ces sociétés traditionnelles peuvent nous apprendre beaucoup. Il s'agit d'un système dans lequel tous les parents, proches ou éloignés, forment une communauté d'individus interdépendants, qui ont tous un rôle considérable à jouer, quel que soit leur âge ou leur sexe. À l'Ouest, explique encore Jemima, l'individu doit quitter la maison pour grandir, mûrir et devenir adulte. Au Pakistan, c'est le système familial qui soutient le développement de la personne en lui offrant des bases solides. Selon Jemima, les mères qui travaillent sont les victimes les plus évidentes du système occidental. Quels bénéfices retirent-elles de la société ? Pourquoi sont-elles forcées de confier leurs enfants à des crèches et des garderies ? Au Pakistan, dit-elle, les enfants grandissent au sein de leur environnement familial. Et les conflits entre époux se règlent en famille, sans qu'il soit nécessaire d'avoir recours à des conseillers conjugaux[1].

Diana pouvait parfois discuter avec Jemima jusqu'à l'aube sur ce thème. L'exemple de son amie la fascinait. Elle y puisait une vision entièrement nouvelle, et plus profonde, de sa propre relation avec l'homme rencontré au Royal Brompton. Comme toujours, elle se projetait dans l'avenir. C'est pourquoi elle voulut profiter de son séjour à Lahore pour rencontrer la famille d'Hasnat. Elle en parla aux sœurs d'Imran. Celles-ci appelèrent le professeur Jawad Khan, qui fut chargé de

---

1. *Mirror*, 25 novembre 1997.

transmettre le message. Jawad eut une longue conversation au téléphone avec la princesse. Elle lui dit combien elle aimerait venir le voir. Elle dit aussi qu'elle souhaitait rencontrer Naheed Khan, la mère d'Hasnat. Mais Jawad répondit qu'il craignait de voir débarquer les médias. Et la visite fut remise à une date ultérieure, quand le moment serait venu…

15

« Nous devrions inviter Mme Bhutto à une projection privée ! »

Quatre mois après son retour du Pakistan, Diana n'est que rarement apparue en public. En juin, elle prend l'avion pour Chicago afin de participer à une collecte de fonds pour des associations luttant contre le cancer. Pendant cette période, sa relation avec Hasnat s'intensifie.

Ils se voient parfois tous les deux jours, parfois toutes les deux semaines, selon les obligations professionnelles d'Hasnat. Les rendez-vous ont généralement lieu à Kensington Palace, plus rarement dans l'appartement de Chelsea. Après une soirée là-bas, Diana fait part à Simone Simmons de ses impressions. « C'est vraiment un appartement d'homme. Il a besoin d'un bon coup de ménage ! » Deux vieux mugs moisis traînent, car Hasnat n'est jamais chez lui et n'a pas le temps de faire quoi que ce soit. Les traces de son travail sont partout. « Il y a des papiers à hauteur de genoux, raconte Diana, et il est difficile de trouver un centimètre carré pour poser un pied par terre. Une véritable tanière d'étudiant ! »

Hasnat se passionne pour son métier, à qui il consacre toute son énergie. Au point que l'hôpital passe souvent avant Diana, et qu'elle en devient parfois secondaire. Si, sur bien des points, Diana et Hasnat n'ont pas grand-chose en commun, s'ils ont connu des vies totalement différentes, il existe entre eux une « alchimie particulière », comme le disent les amis de Diana. Hasnat Khan n'a rien à voir avec les hommes qu'elle a rencontrés avant lui : ce n'est pas un aristocrate, mais un homme dévoué à sa carrière, qui sauve des vies. Selon leurs amis, de profonds liens se tissent entre eux grâce à cette passion commune.

« Leurs idées concernant la vie et la mort les rapprochaient, explique Debbie Frank. Pour Diana, c'était passionnant d'avoir rencontré un professionnel. Un chirurgien cardiaque est de plus quasi omnipotent. Il a le pouvoir de préserver la vie. Plus symboliquement, Diana avait le cœur brisé et Hasnat Khan semblait la personne idéale pour réparer cette fêlure, pour encourager l'intérêt qu'elle portait aux autres et à leur santé. Il était indépendant et autonome. Il n'avait que faire de son titre royal, de sa position, de son statut. Rien de tout cela ne l'impressionnait. En tant que cardiologue, il avait une vie très stressante. Il travaillait de longues heures, souvent au bord de l'épuisement. Malgré tout, il était d'un caractère très constant, capable de supporter la pression. Sa présence aidait aussi Diana à mieux surmonter cette pression. »

Les compétences médicales d'Hasnat fascinent Diana. « Il a un pouvoir de vie et de mort », explique-t-elle à l'un de ses proches alors qu'elle dresse son portrait. Elle veut désormais tout savoir sur le cœur – comment il fonctionne, comment il bat… À cette fin, elle se procure un exemplaire du *Gray's Anatomy*[1], un

---

1. Ouvrage anglo-saxon de référence en ce qui concerne l'anatomie humaine, dont la première édition date de 1858 et la trente-neuvième, dernière en date, de 2004. *(N.d.T.)*

classique que chaque étudiant en médecine se doit de connaître sur le bout des doigts. Diana se met au travail et surprend Hasnat par ses connaissances. Sachant qu'elle effectue régulièrement des visites à l'hôpital pour réconforter les malades, le professeur Yacoub lui demande si elle aimerait assister à une opération. Diana accepte immédiatement : voilà une excellente occasion de mieux connaître l'univers professionnel d'Hasnat.

Elle devient une habituée de la salle d'opération, jusqu'à assister à quatre interventions dans la même journée au Royal Marsden Hospital de Londres. La princesse tient admirablement le coup. Elle raconte à ses amis à quel point les opérations à cœur ouvert la passionnent, et que l'expérience ne lui est nullement pénible.

Le 23 avril 1996, elle est filmée par une équipe de la chaîne de télévision Sky News alors qu'elle assiste, à l'hôpital Harefield, à l'opération d'un petit garçon africain de sept ans, Arnaud Wambo. Apparemment, Hasnat l'aida à se « désinfecter » avant l'entrée dans le bloc.

Mais la présence d'une caméra ne lui vaut rien de bon. Son initiative est critiquée, non seulement parce qu'on juge qu'elle aurait pu distraire les médecins ou les gêner, mais aussi parce qu'elle est trop maquillée. Il n'y a pourtant rien de superficiel dans l'intérêt qu'elle porte à la médecine. Cela lui permet de se rapprocher d'Hasnat, de discuter avec lui de son travail et de ses recherches, sans que la moitié de ce qu'il lui explique lui échappe.

Leur complicité est aussi émaillée de légèreté. Un jour, Hasnat était accablé. Il travaillait alors au Northwick Park Hospital de Harrow, dans le Middlesex. Il avait pratiqué des opérations du cœur sur des moutons toute la semaine, mais aucun n'avait survécu. Après le onzième échec, il avait appelé Diana pour lui raconter ses déboires. Pleine de compréhension à son égard et désireuse de lui remonter le moral, elle trouva comme solution à cette crise de lui acheter un mouton gonflable prénommé Daisy. Ainsi, lui dit-elle avec un sens de l'humour bien à elle, il serait sûr d'avoir toujours au moins un mouton à opérer.

Hasnat est impressionné par le naturel avec lequel Diana approche les malades. Il admire la façon qu'elle a de s'asseoir en toute simplicité sur le lit des convalescents et de leur prendre la main. Elle ne le fait pas pour la gloire, mais par gentillesse.

Diana et Hasnat sont de plus en plus complices. La princesse se confie souvent au médecin, lui parle de la faillite de son mariage et du traumatisme que représentent les négociations pour aboutir à un accord de divorce. C'est un soutien sans faille pour elle, quelqu'un sur qui elle peut vraiment compter.

Le 4 juillet 1996, les paparazzi font le siège de Kensington Palace. Moins de deux heures plus tôt, les avocats du prince Charles ont annoncé que l'accord de divorce entre le prince et la princesse était bouclé. L'appel que Diana attendait depuis le mois d'avril est finalement arrivé. Elle a appris qu'elle recevrait une indemnité de dix-sept millions de livres[1], et plus de quatre cent mille livres[2] par an pour ses dépenses de représentation et son bureau.

Ce soir-là, Diana est l'invitée d'honneur d'une grande réception caritative organisée par Imran Khan

---

1. Environ vingt-cinq millions d'euros. *(N.d.T.)*
2. Près de six cent mille euros. *(N.d.T.)*

à l'hôtel Dorchester de Londres, pour réunir des fonds destinés à son hôpital spécialisé dans la lutte contre le cancer. C'est l'un des événements mondains les plus éblouissants de l'année, couru par plus de six cents jet setters et membres de l'establishment.

Diana est au centre d'une meute de photographes. Elle porte la tenue dessinée pour elle, en février, par Rizwan Beyg – le *shalwar kameez* ivoire rehaussé de perles. Les images de Diana envahissent les journaux télévisés du soir et la presse matinale. Sa tenue, mitraillée par des dizaines d'objectifs, devient le symbole de sa rupture avec son mari et la royauté. Elle représente sa liberté, son indépendance tant attendue et son passage d'une vie sous contrôle à une autre, qui recèle bien plus de mystères[1].

Le 12 juillet, l'accord de divorce définitif est bouclé. Le 15, Charles et Diana entérinent le jugement provisoire, qui déclare que ce mariage de quinze ans sera officiellement dissous le 28 août suivant. Le lendemain même, Diana annonce une réorganisation radicale de ses obligations. Elle a l'intention de démissionner de la présidence de la centaine d'organisations dont elle a la charge pour se consacrer à six œuvres qu'elle aura sélectionnées.

Quand l'annonce du divorce est faite à la télévision, Hasnat Khan est dans le salon de son oncle Omar et de sa tante Jane, à Stratford-upon-Avon. Sa grand-mère, Nanny Appa, venue du Pakistan pour une visite familiale, est accompagnée de son jeune cousin Mumraiz.

À 16 heures environ, Diana arrive en voiture. Elle a fait la route seule depuis Londres. Hasnat lui présente

---

1. Le *shalwar kameez* est aujourd'hui exposé dans le musée du domaine des Spencer, à Althorp, dans le Northamptonshire.

Mumraiz et Nanny Appa. Les deux femmes correspondent depuis six mois et sont ravies de faire enfin connaissance. Parallèlement à sa relation avec Hasnat, Diana a développé des liens avec sa famille.

Mumraiz est venu en Angleterre pour jouer au cricket. Ce garçon de treize ans a à peu près le même âge que les fils de Diana et elle invite le père de Mumraiz, le professeur Jawad Khan, à se joindre à elle et à ses enfants pour les vacances.

Après une tasse de thé, Diana propose de regarder un film. On envoie Mumraiz au vidéoclub local, où il choisit le second opus des aventures de *Ace Ventura, détective pour chiens et chats*, avec Jim Carey. Diana dit à Mumraiz qu'elle vient d'emmener ses fils voir un film du même genre pour l'anniversaire de William.

Tout le monde s'installe pour une paisible soirée familiale, à regarder la télévision en échangeant des plaisanteries. Après le film, Appa prépare le dîner : dhal, riz et salade. Durant le repas, Diana évoque le mauvais état de santé de Sir James Goldsmith, le père de Jemima Khan. Ce dernier a aidé Diana en sous-main dans ses négociations de divorce, et elle l'a encore vu quelques jours plus tôt au gala donné à l'hôtel Dorchester.

Comme à son habitude, après le repas, Diana aide à débarrasser la table et fait la vaisselle, ne repartant que tard dans la soirée. Hasnat passe la nuit à Stratford et ne rentre à Londres que le lendemain, au volant de son Astra rouge.

Quinze jours plus tard, au début du mois d'août, les vacances se terminent pour Nanny Appa et Mumraiz, qui rentrent au Pakistan. Avant leur départ, Diana invite toute la famille à prendre le thé à Kensington Palace.

Tout est bien organisé. Omar et Jane ont pris les bagages de Nanny Appa et Mumraiz, qu'ils conduiront à l'aéroport d'Heathrow après le thé. Mais le trajet depuis Stratford prend plus de temps que prévu en raison des embouteillages, et ils arrivent en retard à Kensington Palace. Diana les attend nerveusement.

Elle les conduit par un dédale de couloirs jusqu'au « petit salon » où le thé est servi. Mumraiz est ébahi par toutes les photos de William et Harry qui s'y trouvent, signe de l'amour que Diana porte à ses fils… Il ne doit pas rester plus de quelques centimètres carrés vierges sur les murs.

Appa se souvient d'avoir trouvé le salon très chaleureux, les moindres détails reflétant bien la personnalité de Diana. Tout dans la pièce était agencé de manière charmante. Mais son impression dominante sur le palais, malgré tout, reste que c'est un endroit beaucoup trop grand pour y vivre seul. « C'est très beau, mais vraiment trop isolé. »

Diana fait les présentations, tout d'abord avec son cuisinier bengali. Appa brûle de savoir s'il parle urdu, mais ce n'est pas le cas.

Le thé est apporté sur une table roulante avec canapés et gâteaux. Diana est assise sur le bord de son siège, tendue. Pendant un moment, on est proche du désastre : Nanny Appa jette un œil suspicieux sur les canapés. Diana se demande ce qui se passe et prie Jane de traduire. En fait, la vieille femme est inquiète à l'idée qu'ils contiennent du jambon, et l'on met du temps à lui faire comprendre qu'il s'agit de saumon ! Une fois l'alerte passée, tout le monde éclate de rire.

La discussion tourne autour d'Hasnat. Il a été convié pour le thé, lui aussi, mais a dû décliner, apparemment retenu en salle d'opération.

Diana dit de lui qu'il n'est ni très ponctuel ni très expansif.

Les gâteaux sont servis puis Diana offre un cadeau à Appa. Une fois encore, sa nervosité est palpable alors qu'elle regarde l'aïeule ouvrir le paquet. Elle ne veut rien faire qui risque d'offenser son invitée de marque.

Mumraiz immortalise la scène avec la caméra vidéo familiale et, pour une fois, Diana se réjouit à l'idée d'être filmée. Elle plaisante même, lançant : «Nous devrions inviter Mme Bhutto à une projection privée !»

En ouvrant le paquet, Appa découvre une coupe en argent, sous les exclamations de la famille. La vieille femme reste muette. «Je l'ai sortie, se rappelle-t-elle, et elle était très lourde. En argent pur. Cette coupe restera toujours très particulière pour moi, car Diana l'a choisie et emballée elle-même.» Aujourd'hui, la coupe est à l'abri dans une armoire de la maison de Model Town, à Lahore.

Le 28 août 1996, une fois le divorce prononcé, la relation entre Diana et Hasnat prend un tour nouveau. Diana a déjà parlé à ses amis les plus proches de son désir de se remarier dès qu'elle ne ferait plus partie de la famille Windsor. Grâce à Hasnat, Diana est plus patiente et plus calme. Lors d'une visite à son amie Lady Elsa Bowker, elle lui avoue n'être «plus seule dorénavant» et ajoute qu'elle a «trouvé la paix». Pour Noël, Hasnat a offert à Diana une photo de lui, qu'elle garde sur sa table de chevet. À la fin de l'année 1996, une photo de sa grand-mère y prend place à son tour. Diana a aussi demandé à Appa une photo d'elle en compagnie d'Hasnat, qu'elle puisse garder toujours avec elle.

Diana évoque avec Simone Simmons l'idée de devenir Mme Khan, et avoue vouloir porter les enfants d'Hasnat. Elle rêve d'un petit cottage. La princesse veut organiser une rencontre entre le médecin et ses fils afin de recueillir l'avis de ces derniers. «Elle m'a expliqué qu'elle avait parlé aux garçons de cette relation particulière, rapporte Roberto Devorik. Le prince William lui a dit : “Maman, tu dois faire ce qui te rendra heureuse.” » Diana a cependant avoué à Simone Simmons qu'Hasnat était réservé à l'idée d'être présenté à William et Harry ; elle se demandait s'il était prêt à devenir le beau-père de deux adolescents.

Diana essaye de convaincre Hasnat d'emménager à Kensington Palace. Elle lui propose même l'usage des appartements de Charles, afin qu'il puisse avoir un bureau sur place. Mais il ne pense pas que ce soit une bonne idée : cela rendrait publique leur relation, et c'est bien la dernière chose qu'il souhaite.

16

« Cette histoire nous a fait mourir de rire »

Diana entretenait sans aucun doute une relation d'amour-haine avec les médias, et ces derniers lui vouaient en retour une fascination obsessionnelle. En un sens, le lien qui s'était établi entre eux faisait étrangement songer à celui de Tom et Jerry, dans le célèbre dessin animé – un jour ils s'adorent, le lendemain ils se poursuivent d'une haine féroce.

Roberto Devorik est allé à Rome avec la princesse. Il raconte : « Diana avait envie de voir la fontaine de Trevi. Aussitôt, les paparazzi se sont lancés à nos trousses. C'était incroyable, toutes ces Vespa qui nous avaient pris en chasse ! On aurait dit un essaim de guêpes. Je me demande d'ailleurs si *vespa* ne veut pas dire "guêpe" en italien. En tout cas, leur comportement était vraiment déplaisant. Ils avaient cette manie de frapper avec leurs appareils photo les vitres des voitures qu'ils pourchassaient. On pensait immédiatement à des coups de feu ! Quelqu'un finissait toujours par baisser la vitre pour voir ce qui se passait. Ils n'avaient plus qu'à prendre leur photo. C'était un vieux truc de paparazzi. Diana le connaissait mieux que personne. Elle disait : "C'est ce qu'ils veulent ! Ils veulent que tu baisses la vitre ! N'en fais rien, Roberto ! N'en fais rien !" Je répondais : "Quoi ? Qu'est-ce que tu veux dire ?" Je n'y comprenais rien. »

Diana avait coutume d'employer le mot « vautour » pour parler des journalistes. Elle les voyait comme des prédateurs avides de la dévorer morceau après morceau. Elle jugeait les médias « intrusifs » et ne se privait pas de le répéter autour d'elle. De vrais envahisseurs ! Car Diana appréciait le calme et la tranquillité. Elle souhaitait protéger sa vie privée. Elle n'aspirait au fond qu'à un peu de normalité et d'équilibre. Mais les moments « normaux » n'existaient pas pour elle. Quand elle quittait le palais, elle était immédiatement prise en chasse par une nuée de motos et de voitures. Si elle avait envie de s'offrir une promenade dans les jardins de Kensington Palace, elle devait attendre le crépuscule, sous peine d'avoir la foule à ses trousses. Où qu'elle aille, ils étaient là à l'attendre – à la porte de sa salle de gym, devant le cabinet de son thérapeute, au domicile de ses amis. Et dès qu'elle se sentait suivie dans la rue ou que l'on braquait un objectif sur elle, son plaisir s'effondrait – qu'il s'agît d'admirer la fontaine de Trevi ou de faire les boutiques. Pour se protéger, elle finit par se replier dans une attitude beaucoup plus discrète et renfermée qu'il n'était nécessaire.

Les médias, en somme, ne faisaient qu'accroître toujours davantage son sentiment de solitude. Cela créait une situation bizarre, paradoxale. Diana se sentait seule, alors qu'elle était en permanence cernée par des milliers de photographes.

Simone Simmons se souvient d'un coup de téléphone d'Italie.

« Tu as ouvert le *Hello* de cette semaine ?

— Non...

— Descends l'acheter ! »

Simone Simmons dévala l'escalier et se procura le magazine. Elle rappela Diana qui lui dit : « Alors ? Tu comprends, maintenant ? C'est la chasse à Diana ! Il n'y a que moi et deux mille photographes ! Le cauchemar absolu ! »

La photo montrait seulement une petite tête – Diana – entourée de milliers de personnes ; elle illustrait parfaitement le paradoxe dont la princesse était prisonnière. Diana avait cependant un réel besoin des médias. Besoin d'abord inconscient, qui deviendrait par la suite tout à fait calculé.

La princesse était très vulnérable. Elle doutait d'elle-même. Elle se sentait fragile et abandonnée. Aussi les paparazzi, quand bien même ils n'étaient pas les bienvenus, répondaient-ils à une exigence puisqu'ils l'aidaient à renforcer son sentiment d'exister comme un être à part entière. Les médias la dotaient d'une personnalité propre. Grâce à eux, elle devenait une femme à laquelle le monde s'intéressait. Le reporter Mark Saunders s'était fait une spécialité de photographier les figures royales. Il explique que Diana prenait parfois elle-même l'initiative de venir à lui, simplement parce qu'elle avait besoin de parler à quelqu'un. Mark précise que son collègue Glen Harvey a vécu la même expérience.

Mais cette relation fonctionnait aussi à un niveau conscient. Pendant dix ans, Diana avait pour ainsi dire été jetée en pâture au public. On avait fait d'elle une proie offerte au regard impitoyable du monde. Et comme nombre de célébrités, elle avait fini par apprendre à manipuler la presse. Elle était même devenue suprêmement douée dans l'art d'utiliser les journalistes à ses propres fins. Elle commença par influencer ce que l'on écrivait sur elle. Plus tard, avec le même talent, elle mit en scène son image, bien souvent à l'insu des journalistes eux-mêmes.

Diana apprit aussi à contrôler les gros titres des journaux. Elle s'y employa même avec génie. Sa technique consistait en général à glisser des confidences à des reporters sous couvert d'« amitié ». Il s'agissait en fait d'informations qu'elle souhaitait porter à la connaissance du public. Ces nouvelles paraissaient quelques jours plus tard accompagnées de la mention suivante : « D'après une source proche de la princesse… » La source, bien souvent, n'était autre que la princesse elle-même…

Contrairement à Diana, Hasnat Khan était particulièrement mal à l'aise avec les médias. Les journalistes lui inspiraient même une sainte terreur, pour ne pas dire une angoisse quasi pathologique. Sa tante Maryam le confirme : « C'est un homme extrêmement attaché à sa vie privée. Jamais il n'a cherché à être sous les projecteurs. Ce genre de choses ne lui plaît pas du tout. » Cette impression est partagée par le reste de la famille, et par ses amis. Chacun sait que pour Hasnat Khan, le nirvana consiste à passer une soirée tranquille à la maison. Aux dires de tous, c'est réellement un solitaire.

Ses proches se souviennent que des reporters faisaient le siège de son appartement de Chelsea. Ils étaient capables de le surveiller pendant des jours, rien que pour avoir une photo de lui. Ils téléphonaient sans arrêt à son domicile. Ils lui adressaient des tonnes de courriers. Ils allaient jusqu'à pénétrer dans l'hôpital en prétendant avoir rendez-vous avec lui. Une pareille situation ne pouvait que lui faire horreur, raison pour laquelle il ne voulait pas entendre parler des médias.

Par chance, ses voisins de Chelsea s'étaient ralliés à sa cause. Ils faisaient tout leur possible pour le protéger. Une femme âgée habitant l'appartement du dessus alla un jour jusqu'à vider un seau d'eau par la fenêtre sur un journaliste qui essayait de photographier Khan. En général, les proches de Diana n'avaient pas de telles réactions, bien au contraire. Ils essayaient plutôt de tirer parti de la situation. N'appartenaient-ils pas au cercle d'une des plus belles femmes du monde, d'une princesse habillée par les couturiers les plus en vue, d'une célébrité connue des grands de la planète, admirée de tous lors des réceptions officielles ? L'homme qui arrivait à un gala au bras de Diana avait toutes les raisons, en principe, d'en tirer grande fierté. Hasnat, lui, en était gêné. Trop de bruit et de lumière le mettait mal à l'aise. La Diana dont il rêvait était beaucoup plus simple. Il ne voyait pas en Diana la princesse de Galles, mais une voisine de palier pour laquelle on a un béguin. Cela peut sembler un cliché. Mais il sonne juste. Cet homme aimait Diana pour elle-même, non pour son apparence – et c'était inédit.

Les hommes, jusque-là, s'étaient intéressés à Diana parce qu'elle était célèbre. Avec Hasnat Khan, elle vivait exactement l'inverse. « Pour la première fois, explique Devorik, l'image ne jouait pas en faveur de Diana. Elle la desservait même. »

Voyant qu'Hasnat supportait de plus en plus mal la pression médiatique, Diana réfléchit à un moyen d'échapper aux caméras et aux appareils photo. Peu à peu, l'idée d'un déménagement fit son chemin dans son esprit. Pourquoi ne pas aller vivre ensemble ailleurs qu'à Londres ? Pourquoi pas dans un autre pays ? La princesse, dès lors, envisagea très sérieusement de quitter l'Angleterre. Il devait bien exister sur cette planète un endroit accueillant où le couple pourrait s'installer, et où le Dr Khan continuerait à exercer son activité !

Les recherches de Diana commencèrent précisément le 13 octobre 1996. Ce jour-là, elle s'envola pour Rimini afin d'assister au congrès annuel du Centre Pio Manzù, une fondation internationale dirigée par l'ex-président soviétique Mikhaïl Gorbatchev. Dès sa descente d'avion, la princesse fut entourée par une nuée de caméras. Son arrivée au Grand Hôtel déclencha une véritable cohue. Les autorités italiennes avaient mobilisé une armée de policiers. Les rues étaient fermées à la circulation. Un hélicoptère survolait même la ville. Mais rien n'aurait pu empêcher les médias de déferler.

Le congrès du Centre Pio Manzù réunissait trois cent cinquante universitaires, industriels et experts en matière de santé. La santé publique était d'ailleurs le thème de cette rencontre au cours de laquelle il était prévu de remettre une récompense à Diana pour la remercier de son action dans les hôpitaux. C'est elle-même qui fut chargée d'ouvrir les débats. Elle prononça un discours sur un sujet qui lui tenait à cœur : « Le défi d'une population vieillissante. » Elle pensait que l'âge ne devait pas être considéré comme une maladie.

À ses côtés siégeait un savant de soixante-treize ans qui se préparait à recevoir un prix : le professeur Christian Barnard, chirurgien sud-africain universellement connu pour avoir effectué la première transplantation cardiaque, à la fin des années 1960.

Barnard avait décidé de se servir du congrès de Rimini comme d'une chambre d'écho pour plaider en faveur de la prévention. Des progrès devaient être accomplis dans le traitement des affections cardiaques, dit-il quand vint son tour de monter à la tribune, mais il fallait aussi et surtout faire des efforts pour éviter de tomber malade ! Il cita le cas d'un jeune Noir qu'il avait opéré plusieurs années auparavant. Les premiers mots prononcés par le garçon en salle de réveil avaient été pour réclamer un morceau de pain. Hélas ! le morceau de pain était arrivé trop tard – le jeune homme était mort. Quand le professeur Barnard regagna sa place, Diana se pencha vers lui et lui tapota l'épaule. Elle était bouleversée par ce qu'elle venait d'entendre.

Au dîner, la princesse et le professeur se retrouvèrent de nouveau assis côte à côte. Diana décida que le moment était venu de parler d'Hasnat Khan à Barnard. Elle lui demanda s'il pouvait aider Hasnat à trouver un poste en Afrique du Sud. Aux yeux de Diana, le choix de s'établir dans ce pays avait du sens. Son propre frère, Charles, n'avait-il pas élu domicile au Cap ? Elle s'ouvrit aussi au professeur Barnard de son intention d'épouser Hasnat Khan. Elle avait envie d'avoir des enfants de lui – deux filles, dit-elle. Barnard devait revenir par la suite sur sa conversation avec la princesse. Pour lui, il ne faisait aucun doute qu'elle était très amoureuse du Dr Khan, et qu'elle l'aurait volontiers épousé s'il en avait été d'accord[1].

Diana avait donc évoqué avec le chirurgien, en des termes clairs, son projet de quitter Londres avec Hasnat Khan. Dès son retour en Angleterre, elle reprit contact avec Barnard. Elle lui téléphona. Elle lui adressa des fax et des courriers. Sa demande était toujours la même : elle continuait de chercher pour son compagnon une solution en Afrique du Sud. Le professeur Barnard, de passage à Londres, fut convié à deux reprises à Kensington Palace afin d'en discuter avec elle. La princesse était très douée pour planifier toutes choses. En

1. *South African Sunday Times*, 22 novembre 1998.

général, elle avait grand besoin de contrôler la situation. Mais c'était aussi une façon de surmonter son propre sentiment d'insécurité. Or il y eut en l'occurrence un problème. Elle n'avait pas jugé bon d'informer Hasnat Khan des discussions qu'elle avait entreprises avec Christian Barnard. C'est sur un ton presque nonchalant qu'elle finit par lui en parler.

« Tu devrais peut-être le rencontrer ? suggéra-t-elle. Puisqu'il est à Londres… »

Les deux hommes se rencontrèrent au London's Grosvenor House Hotel. Barnard demanda son CV à Khan, apparemment pour étudier l'éventualité d'un poste *après* sa thèse. Au cours de la discussion, Hasnat Khan expliqua à Barnard qu'il n'arrivait pas à gérer la médiatisation de sa relation avec Diana. Barnard répondit qu'il connaissait le problème. Lui-même avait été victime d'un tel harcèlement au lendemain de sa première médicale. Mais il existait selon lui une grande différence entre eux. La publicité autour de Barnard était liée à son métier ; celle dont se plaignait Khan était liée à la femme qu'il aimait. Il faudrait qu'il vive avec cela[1] !

Peu après cet entretien, un hôpital américain adressa une offre au Dr Khan. Diana confia alors à des amis qu'Hasnat en était devenu « vert de rage ». Il n'avait qu'une idée en tête : finir sa thèse avec le professeur Yacoub. Quant à déménager, il ne voulait même pas en entendre parler. En fait, il venait de comprendre que Diana agissait dans son dos, et il en était furieux.

Dans sa quête d'un endroit où s'installer avec lui, Diana explora différentes possibilités, parmi lesquelles Sydney, en Australie. Hasnat y avait vécu heureux à la fin des années 1980 et au début des années 1990, quand

1. *Idem.*

il étudiait sous la férule de Victor Chang. Le 31 octobre 1996, Diana s'y rendit pour un voyage de quatre jours. Près de trois ans plus tôt, le 15 février 1994, le Victor Chang Institute avait été créé en mémoire du grand chirurgien. Le 1er novembre 1996, Diana inaugura les nouveaux locaux de cette fondation. La cérémonie se déroula à l'Institut Garvan pour la recherche médicale. La présence de Diana permit de lever un million de« dollars australiens.

La princesse était heureuse de pouvoir contribuer à l'essor de cette fondation. La mort tragique et prématurée de Chang aurait au moins servi à quelque chose. Comme toujours, elle était animée dans ses entreprises par un enthousiasme sincère et raisonné. Mais sa visite en Australie obéissait aussi à d'autres motivations. Elle voulait absolument amener Hasnat à comprendre que la notoriété dont elle jouissait était susceptible de servir efficacement la cause de la recherche scientifique. Elle profita en outre de son séjour pour rencontrer un vieil ami d'Hasnat, médecin lui aussi, qui travaillait à l'institut. Elle continuait de multiplier les efforts pour mieux connaître l'homme de sa vie – et le retard n'était pas facile à combler puisqu'il avait vécu trente-cinq ans sans elle...

Mais à Londres, les journalistes s'interrogeaient. Pourquoi la princesse avait-elle tenu à visiter cet institut peu connu du public ? Que signifiait cette passion pour la médecine ? Le 3 novembre 1996, le *Sunday Mirror* annonça en gros titres que le lien avait été établi entre les visites nocturnes de Diana au Royal Brompton, sa présence au bloc opératoire lors d'interventions cardiaques et le voyage qu'elle effectuait alors en Australie. Ce lien avait un nom : le Dr Hasnat Khan. La princesse était amoureuse !

Le pot aux roses était découvert. Le secret que Diana avait tant voulu protéger venait d'éclater au grand jour.

De retour à Londres, elle eut peur. Les révélations du *Sunday Mirror* ne risquaient-elles pas de pousser Hasnat à prendre ses distances ? Plutôt que de tergiverser et de céder à l'angoisse, elle résolut de prendre le taureau par les cornes. Elle décida que la seule solution était de détourner l'attention des médias de cette affaire. Or il existait pour cela des techniques éprouvées...

Diana prit contact avec Richard Kay, du *Daily Mail*, un ami fidèle et l'un de ses précieux alliés – il comptait d'ailleurs parmi les journalistes qui l'avaient accompagnée à Sydney. La princesse lui proposa le sujet d'un article destiné à contrer celui du *Sunday Mirror*. Il s'agissait de réduire à néant l'affirmation selon laquelle elle entretenait une liaison avec Hasnat Khan.

L'article parut dans le *Daily Mail* du lendemain, le 4 novembre. Les «révélations» du *Sunday Mirror* y étaient décrites comme un «tissu de mensonges». Selon le *Daily Mail*, la princesse était «profondément choquée par des allégations qui risquaient de nuire à William et Harry». Elle dit aussi à des amis : «J'ai trouvé ça très drôle. En fait, cette histoire nous a fait mourir de rire !»

Diana tourna en dérision les rumeurs affirmant qu'elle souhaitait épouser le chirurgien, et avoir des enfants de lui. Victoria Mendham, citée dans l'article, déclarait que la princesse considérait toute l'affaire comme pure hystérie, et que ces bruits étaient devenus un sujet de plaisanterie dont elle s'amusait au petit déjeuner.

Mais Hasnat Khan ne trouva pas la «plaisanterie» à son goût. Blessé et insulté par ces articles, il décida de ne plus revoir la princesse. Diana protesta vivement. Elle lui affirma qu'elle avait agi par amour, pour le protéger... En vain, Hasnat ne voulait rien entendre. Il lui signifia qu'il mettait fin à leur relation.

Pendant trois semaines, les amants n'échangèrent plus un mot. Diana essaya mille fois de renouer le contact – sans résultat. Simone Simmons consentit à jouer les intermédiaires. C'était le seul moyen, selon elle, d'empêcher Diana de se jeter dans les rues à la poursuite d'Hasnat Khan. Finalement, il accepta de revoir Diana. Une réconciliation était-elle possible ? Rien n'était moins sûr. Car le doute, désormais, s'était insinué dans l'esprit de Khan. Les incidents de Sydney lui avaient laissé une impression amère. Il craignait que les médias envahissent sa vie.

Diana comprit qu'elle avait commis une erreur. Elle décida que cela ne se reproduirait plus. Elle se promit de changer de cap. Elle s'efforcerait, à l'avenir, de mieux comprendre Hasnat. Elle tint en particulier à s'imprégner davantage des différences culturelles qui les séparaient. Elle possédait au moins deux exemplaires du Coran. Le premier lui avait été offert par un imam, lors de sa première visite au Pakistan en 1991 ; le second par ce jeune serviteur de la maison Monnoo, à Lahore, en 1996. Elle entreprit de se plonger chaque soir dans ce livre. Selon Lady Bowker, elle serait allée jusqu'à se convertir, si la religion avait représenté un obstacle entre elle et la famille d'Hasnat Khan.

Mais la princesse ne se contenta pas d'étudier la culture islamique. Dans son espoir de renouer la communication avec Hasnat, elle se tourna vers Martin Bashir, le journaliste qui l'avait interviewée pour l'émission « Panorama ». Elle lui parla de ses ennuis et le pria d'intervenir.

La démarche était surprenante. Les amis de Diana ne cachèrent d'ailleurs pas leur étonnement. Elle leur expliqua qu'elle craignait que son mode de pensée « occidental » ne l'empêche de saisir les réactions d'Hasnat Khan. Bashir, selon elle, était bien placé pour comprendre le point de vue « oriental[1] ». En d'autres termes, elle cherchait encore à garder coûte que coûte le contrôle de la situation.

Bashir, qui avait juré d'opérer discrètement, fut donc amené à rencontrer Hasnat Khan à plusieurs reprises. Mais les choses ne se passèrent pas du tout comme Diana l'avait prévu. À en croire les confidences qu'elle fit à un proche, Bashir et Hasnat se contentaient de passer ensemble de bons moments. Chaque fois, en fin de soirée, Diana recevait un appel d'Hasnat l'informant qu'il rentrait chez lui se coucher. Était-ce la vérité ? Diana n'en savait rien. Mais elle était furieuse de la tournure que prenaient les événements.

Le joker Bashir étant voué à l'échec, Diana eut l'idée de s'adresser à Paul Burrell, son fidèle majordome. Burrell, jusqu'alors, avait tenu à rester dans le rôle qui était le sien : celui du serviteur dévoué. Jamais il ne s'était permis de s'asseoir en présence de la princesse, par exemple. C'était la bonne attitude à ses yeux, et il n'avait pas l'intention d'en changer. Même quand Diana allumait des bâtons d'encens et qu'un nuage épais, entêtant, montait dans la pièce, il se serait mis à genoux plutôt que de prendre une chaise pour échapper à la fumée.

Un après-midi, Diana reçut Simone Simmons à Kensington Palace pour le thé. Les deux femmes bavardaient, assises à même le sol. Paul Burrell était là, debout et, comme à son habitude, soucieux de son

1. Le journaliste britannique Martin Bashir est d'origine pakistanaise. *(N.d.T.)*

devoir. C'est alors que la princesse entreprit de l'interroger. Elle commença aussi prudemment que possible. Quand il arrivait à 7 heures pour prendre son service, ne remarquait-il pas qu'elle semblait avoir mal dormi ? N'avait-il pas l'impression qu'elle n'était pas du tout reposée ? Burrell répondit qu'il avait toujours trouvé la princesse fraîche comme une rose.

« Dites-moi la vérité, Paul », insista Diana.

Le majordome admit avoir eu parfois le sentiment que la princesse n'avait pas passé une nuit reposante – mais stressante, plutôt. Diana saisit la balle au bond et enchaîna : « Je vais vous confier un secret, Paul. Et vous allez me promettre de n'en parler à personne. Ensuite, j'aurai une faveur à vous demander. Une faveur très particulière. »

Simone Simmons raconte que la princesse informa Burrell de la liaison qu'elle entretenait avec Hasnat Khan. C'est ainsi que Burrell devint un intermédiaire entre la princesse et son amant. Comme Bashir, il avait prêté serment d'agir sous le sceau de la discrétion la plus absolue.

Burrell et Khan prirent l'habitude de se voir au pub, même si le majordome ne buvait pas quand il était l'émissaire de la princesse – il se contentait d'un soda à l'orange. Quoi qu'il en soit, les deux hommes devinrent amis.

Diana souffrait énormément d'être éloignée de Khan. Elle sentait remonter en elle ses angoisses d'abandon. Elle redevenait instable, et cédait à des conduites irrationnelles. Elle perdait le contrôle d'elle-même. Elle aurait fait n'importe quoi pour parler avec Khan. Elle appelait le standard de l'hôpital jusqu'à trente fois par jour, espérant tromper la vigilance des employés en usant de pseudonymes tels que « Dr Armani » ou

« Dr Valentina » – allusions aux couturiers dont elle portait les robes. Sans parler des mille autres stratagèmes qu'elle inventait. Simone Simmons raconte par exemple qu'elle déguisait sa voix, prenait tel ou tel accent, dont celui de Liverpool, qu'elle imitait à merveille – elle l'avait appris en regardant *Brookside*, une de ses séries télé favorites. Elle pouvait aussi adopter l'accent américain. Un jour, elle laissa au standard un message disant qu'elle était une patiente d'Hasnat Khan, qu'elle allait très mal, et que le docteur devait absolument venir à son chevet en urgence.

Ses tentatives demeurant vaines, elle imagina autre chose. Elle essaya ainsi de le voir lors des visites qu'elle rendait à des malades à l'hôpital. Mais elle alla plus loin encore. Elle pourchassa bientôt Hasnat de façon obsessionnelle, comme naguère Oliver Hoare. L'ironie de la chose était qu'elle finissait par harceler autrui comme on la harcelait elle-même – une attitude qui lui faisait horreur quand elle en était la victime. Diana prenait sa voiture, venait se garer devant chez Khan, surveillait ses allées et venues. Elle espérait l'entrevoir, même brièvement – comme les paparazzi espéraient la surprendre, elle, pour un cliché furtif. Certaines nuits, incapable de trouver le sommeil, envahie par ses angoisses, elle allait marcher seule dans le quartier de Knightsbridge.

Hasnat était devenu une obsession pour Diana, qui faisait de lui l'homme idéal, même si elle admettait que certains aspects de sa personnalité la dérangeaient. Hasnat, avait-elle confié à ses proches, était « fermé ». Il n'exprimait pas ses émotions, n'était pas démonstratif. Elle trouvait cela frustrant. Il est vrai que le Dr Khan, après sa journée au bloc, n'avait qu'une envie, se poser et se détendre. Il devait d'ailleurs avouer à un parent proche qu'à certains moments il trouvait Diana trop exigeante. S'il avait par exemple le malheur d'appeler sa famille au Pakistan depuis Kensington Palace, elle martelait les touches du piano ou passait de la musique d'opéra, de plus en plus fort, jusqu'à ce qu'il s'occupe d'elle.

Pendant ces trois semaines, Diana fit encore appel à son amie Simone Simmons. Celle-ci ne compte plus le nombre de fois où la princesse lui téléphona en urgence pour lui demander de venir au palais. «Je décrochais, dit-elle. Elle sanglotait à l'autre bout du fil. Je lui disais : "Écoute, je viens. J'arrive. On parlera." Mais Diana disait que je ne pouvais pas la voir dans cet état, elle avait pleuré et avait une tête à faire peur. Je lui répondais que les gens qui pleurent ont toujours une mine affreuse. La discussion se prolongeait, parfois pendant trois quarts d'heure. À la fin, Diana cédait : "D'accord, viens. Je t'attends." Je me précipitais au palais. À mon arrivée, Diana avait les yeux qui lui mangeaient la figure – un vrai panda – et le nez rouge. On s'asseyait. On discutait de ses problèmes de couple. Ensuite, elle se préparait un jus de concombre et carotte. Elle m'offrait un thé. Elle s'inquiétait de ne pas avoir de nouvelles d'Hasnat. Je m'efforçais de la raisonner : "Il a son travail. Il est chirurgien cardiaque. S'il est en train de réaliser une transplantation, il ne va pas tout lâcher pour te prendre au téléphone. Essaie de comprendre." Elle essayait de se raisonner. Mais Hasnat était réellement occupé ! Il travaillait tout le temps. Et quand il ne travaillait pas, il étudiait.»

Avec Hasnat Khan, Diana a reproduit le schéma de ses précédentes relations. Elle lui téléphonait dès qu'elle avait l'impression qu'il ne pensait plus à elle. Elle s'efforçait de s'impliquer le plus possible dans sa carrière professionnelle – en assistant notamment à des opérations. Elle révisait comme une écolière les notions qu'elle avait apprises en matière de chirurgie cardiaque. Elle essayait aussi d'approcher son univers en lisant le Coran et en portant des vêtements pakistanais – depuis ses voyages au Pakistan, sa garde-robe comptait plusieurs *shalwar kameez*. Et, comme elle l'avait toujours fait, elle tentait de recoller les morceaux en ayant recours à des intermédiaires.

Mais le comportement de la princesse fut aussi marqué par une évolution positive au cours de cette période. Elle ne se lacérait plus la peau, comme elle avait pu le faire par le passé quand ses émotions et ses angoisses la submergeaient. Nombre de ses amis observèrent qu'elle devenait plus forte. Peu à peu, elle semblait prendre confiance en elle.

Peut-être l'élément clé de ce changement a-t-il été sa capacité à faire désormais la part des choses entre sa vie privée et sa vie publique. Ayant gagné en assurance sur le plan émotionnel et mental, elle parvenait à canaliser son énergie lors de ses obligations professionnelles, sans se laisser déborder par ses problèmes personnels.

L'héritage le plus important de Diana, sa campagne contre les mines antipersonnel, montra qu'elle avait fini par acquérir cette force. Cette action marqua un tournant décisif dans sa vie.

17

« On ne me verra plus jamais dans une de ces robes ! »

« Tu vois cette petite étoile, là-bas ? Devine ce que c'est », lance Simone Simmons à Diana. « Je ne sais pas », répond la princesse. « C'est une mine antipersonnel. »

Pendant l'été 1996, la thérapeute a passé dix jours en Bosnie, à Tuzla, avec la Croix-Rouge. À son retour, elle est allée voir Diana avec ses photos.

Ces clichés illustrent la vie quotidienne de l'après-guerre en Bosnie. L'un d'entre eux montre deux enfants se promenant main dans la main dans ce qui ressemble à un champ de bataille ; un autre, des mines antipersonnel jonchant une route. « Les gens n'ont pas assez à manger. Ils n'ont plus de magasins où faire leurs courses », explique Simone à la princesse. « Comment font-ils, alors ? » « Ils se débrouillent, ils se contentent de ce qu'ils peuvent se procurer par leurs propres moyens : des lapins, des poules, des poissons, ce genre de choses. »

La souffrance du peuple bosniaque, illustrée par les photos de Simone Simmons, retient l'attention de Diana. L'air grave, elle demande à son amie : « Crois-tu que je puisse faire quelque chose ? » « Si tu ne le peux pas, répond Simone, alors personne ne le peut ! »

Tel fut le point de départ du plus grand défi de Diana ; aux yeux de beaucoup, sa plus grande réussite.

Simone n'est pas la seule à parler des mines antipersonnel à Diana. Mike Whitlam, le directeur général de la Croix-Rouge britannique, a envoyé des livres et des documentaires sur ce sujet à Kensington Palace. Il cherche une façon d'attirer de nouveau l'attention des médias après une première campagne. C'est aussi lui qui a suggéré au cinéaste Richard Attenborough de proposer à la princesse d'être l'invitée d'honneur de la première de son nouveau film, *Le Temps d'aimer*, lors d'une soirée destinée à réunir des fonds contre les mines antipersonnel.

En prenant connaissance de la documentation envoyée par Mike Whitlam, Diana apprend que le plus grand nombre de mines antipersonnel se trouve au Cambodge. Révulsée par cette violence d'une lâcheté rare et animée du sentiment qu'elle a une mission à accomplir, elle décide de se rendre sur place. Mais l'organisation de son déplacement est plus délicate qu'elle l'imagine. On la décourage de faire le voyage, car sa présence pourrait perturber des négociations entre le gouvernement britannique et un groupe rebelle qui détient un otage anglais. Diana se tourne alors vers l'Angola. De terribles statistiques évoquent une mine par habitant dans ce pays qui en compte douze millions.

Diana annonce son voyage en Angola sous l'égide de la Croix-Rouge. C'est le début d'une campagne réussie. Depuis son départ de la famille royale, elle n'a jamais attiré autant l'attention. La visite de quatre jours est prévue pour la mi-janvier 1997. Avant son départ, Diana fait le point avec Simone sur ce qu'elle doit emporter. Celle-ci lui suggère, pour obtenir le plus grand impact, de s'habiller sobrement : elle ne doit pas attirer l'attention sur elle, mais sur les victimes. Suivant son conseil, Diana laisse ses vêtements de créateurs dans sa penderie et s'habille de jeans et de chemisiers. Elle ne déroge à la règle qu'une fois, apparaissant dans une robe de soirée lors du dîner offert par le gouverneur.

Les victimes des mines antipersonnel émeuvent Diana. Elle est réellement bouleversée par ce qu'elle voit. D'après Simone, elle est en larmes tous les soirs. Elle téléphone à son amie au moins une fois par jour. Les conversations commencent toujours par : « L'Angola appelle Hendon. À vous, Hendon ! »

Diana évoque ce qu'elle a vu, ce qu'elle ressent. Le 14 janvier, elle lui raconte par exemple sa rencontre à l'hôpital avec une adolescente de treize ans, Sandra Tigica. Sandra rentrait à pied à la ferme de ses parents lorsqu'un avion a lâché plusieurs bombes dont une lui a emporté la jambe. Depuis, elle attend une prothèse. Pendant leur conversation, au cours de laquelle on prend les mesures du moignon de Sandra pour adapter sa jambe artificielle, Diana serre la main de la jeune fille, effrayée, puis la prend dans ses bras. Elle dit plus tard à Simone que, pour s'empêcher de pleurer, elle s'est mordu l'intérieur de la bouche. Elle lui parle aussi, le lendemain, de son abominable promenade au milieu d'un champ de mines.

La visite de Diana a déclenché une grande controverse à Londres, particulièrement à cause de sa déclaration selon laquelle elle est « heureuse d'épauler la Croix-Rouge dans son combat pour bannir une bonne fois pour toutes les mines antipersonnel ». Un commentaire qui va à l'encontre de la politique britannique de l'époque. Les médias font leurs choux gras de cette histoire, traitant Diana de « danger public ». Cela ne fait que renforcer la détermination de la princesse, qui réplique par un coup d'éclat. Elle se prête à des photos impressionnantes, non par provocation comme elle a pu le faire jusqu'à présent, mais pour frapper les esprits.

Elle décide de traverser un champ de mines devant les objectifs du monde entier, en proclamant qu'elle est une personnalité humanitaire et qu'elle le fait pour améliorer la situation. Ce que personne ne voit, c'est sa peur. Même si elle porte un masque de protection et un gilet pare-balles, elle avouera plus tard à Simone à quel point cette marche l'a épouvantée.

La campagne contre les mines antipersonnel donne à Diana l'impulsion pour passer à autre chose. Pour l'éditorialiste du *Daily Telegraph*, Lord Deedes, cette période est un moment charnière, même si, en fait, ce n'est que l'expression publique d'un changement intérieur survenu quelque temps plus tôt.

La prise de conscience de l'influence qu'elle peut avoir sur les décisions politiques est une délivrance pour elle, un souffle de liberté. Elle a le sentiment de découvrir enfin sa voie, le sens de sa vie. Son estime d'elle-même s'accroît, sans qu'elle ait rien à devoir à personne, ce qui la rend plus forte encore. Elle se rend compte qu'elle a les moyens de faire bouger les choses, de faire avancer les causes qu'elle considère comme « justes ».

Même si elle est toujours amoureuse d'Hasnat Khan pendant cette période, elle se sent beaucoup plus sûre d'elle. Son insécurité émotionnelle ne lui dicte plus sa conduite, et son développement personnel ne dépend plus du fait qu'elle soit aimée ou non en retour. Elle est plus apaisée, ce qui se traduit par une plus grande ouverture et une plus grande compréhension envers elle-même et envers les autres. Plus important encore, elle commence à s'aimer : elle peut enfin envisager de recevoir tout l'amour dont elle a besoin.

Renforcée par cette confiance intérieure naissante et par le sentiment croissant qu'elle est aimée pour elle-même, Diana trouve le courage de reprendre une vie publique en la contrôlant. Elle s'organise, fait ses propres choix, prouvant à quel point elle en est capable. Elle semble enfin commencer à se libérer de ses doutes et de son sentiment d'insécurité. Sa fragilité émotionnelle s'atténue.

Cette nouvelle force est aussi perceptible dans son allure générale. En reprenant le contrôle de son corps par des exercices quotidiens, Diana s'épanouit physiquement. Elle en a fini avec les automutilations. Les gloussements nerveux ont été remplacés par de francs éclats de rire. Sa façon de s'habiller évolue elle aussi. Diana se laisse aller à plus de décontraction, de simplicité. Depuis 1994, elle s'est affirmée par son style vestimentaire : à l'époque, ses vêtements étaient ajustés et colorés. Elle n'a encore jamais porté de couleurs simples. Après 1995, elle a porté ses vêtements près du corps, supprimant jupons et épaulettes. Ce que l'on a vu lors de la campagne contre les mines antipersonnel n'était pas un simple changement de style, mais un signal important. Diana annonce bientôt sa décision de mettre en vente ses robes les plus connues. Pour elle, c'est une façon radicale d'affirmer qu'elle tourne la page de la royauté pour reprendre les rênes de sa vie.

L'idée vient en fait de son fils William – peut-être y a-t-il plus qu'une ressemblance physique entre eux. Alors que Diana était aux Bermudes à Noël 1996, William l'a appelée pour lui annoncer : «J'ai une idée géniale, maman. Pourquoi n'organiserais-tu pas une vente de charité de tes robes ? Je prendrais dix pour cent ! »

Diana y a réfléchi tout en se reposant à la plage, et a décidé que c'était effectivement une idée brillante. De retour à Londres, elle a appelé Simone Simmons pour lui parler du projet et lui demander de venir l'aider à trier sa garde-robe.

Diana conserve ses robes du soir dans une pièce située sous ses appartements. À l'étage, à côté de son « petit salon » se trouve son dressing. Pour Simone, c'est une image totalement inédite de Diana. En entrant dans la pièce qui abrite les robes du soir, il lui semble pénétrer dans la caverne d'Ali Baba. Elle ne peut s'empêcher de toucher les étoffes magnifiques. C'est un autre monde.

Ensemble, les deux femmes font péniblement le tri dans cette collection hors de prix. Diana explique que la première chose dont elle veut se débarrasser, ce sont les « vieilles chiffes ». « Je n'en ai vraiment plus besoin », dit-elle. Simone doit en convenir, malgré leur splendeur. « C'est vrai, tu ne les mettras plus. » Bien qu'elle conforte Diana dans sa décision, Simone pense en son for intérieur qu'elle se trouve devant une garde-robe pour laquelle certaines femmes seraient prêtes à tuer ! Mais elle ne perd pas de vue l'objectif de Diana et respecte son point de vue. « Oublie les sentiments. Laquelle de ces tenues risques-tu de porter encore ? » Diana jette un regard circulaire, puis un autre, et pointe finalement une robe du doigt : « Celle-ci ! » « Oui, si tu vivais au temps d'Élisabeth Ire, peut-être ! » Diana éclate de rire et se rend enfin compte qu'elle n'a besoin d'aucune d'entre elles. « On ne me verra plus jamais dans une de ces robes ! » dit-elle. « Allez, on les emporte toutes ! »

Diana et Simone mettent tout l'après-midi et une partie de la soirée à vider la pièce.

Fin janvier 1997, Diana annonce la vente qui se déroulera en juin. C'est une manière originale de réunir des fonds. Elle déclare que les bénéfices seront partagés entre l'AIDS Crisis Trust et le Fonds pour la recherche contre le cancer du Royal Marsden Hospital.

La vente de ces robes n'est pas le seul signe de changement à cette époque. Diana commence à s'éloigner de ses thérapeutes et guérisseurs. Ils représentent un tel soutien depuis si longtemps et occupent tant de place dans sa vie quotidienne que c'est comme si un aveugle se débarrassait soudain de sa canne blanche. Simone pense que Diana a été capable de prendre ses distances parce qu'elle était enfin « bien traitée par la vie ».

Simone Simmons est elle-même une thérapeute « alternative » puisqu'elle administre des soins qui ne sont pas reconnus par le NHS[1]. Elle n'en est pas moins estomaquée par ce qu'elle découvre ce jour-là. Dans la pièce où Diana garde ses tenues de bal, la princesse désigne une armoire. Simone raconte : « Diana l'a ouverte. Elle était pleine de médicaments de toutes sortes. Des vitamines, des minéraux, des extraits de foie – tout ce qu'on peut imaginer. "Mon Dieu, mais qu'est-ce que c'est que tout ça ?" ai-je demandé. Puis, en regardant une des boîtes, j'ai ajouté : "Mais c'est périmé !" Diana a juste dit : "Ne bouge pas, je suis là dans une minute." Quelques instants plus tard, elle est revenue avec un grand sac-poubelle noir. » C'était l'heure du grand ménage : presque tout a terminé à

1. *National Health Service*, système de santé publique britannique. *(N.d.T.)*

la poubelle. Il y en avait pour des milliers de livres, autant de traitements abandonnés les uns après les autres par Diana, pour passer au suivant.

La presse, pendant ce temps, cherche de nouvelles révélations sur la relation entre Diana et Hasnat. Pleinement consciente de l'aversion d'Hasnat pour les médias et inquiète de voir que le harcèlement dont ils sont victimes met en péril leur relation, Diana multiplie les efforts pour envoyer les journalistes sur des fausses pistes et induire la presse en erreur. Elle a tellement utilisé ces techniques qu'un de ses anciens attachés de presse a un jour avoué qu'il était parfois difficile d'exercer son métier ; il ne savait jamais ce que Diana avait demandé à ses amis de laisser « fuiter ».

En janvier 1997, Clive Goodman, reporter auprès de la famille royale pour *News of the World*, est de nouveau sur sa piste, décidé cette fois-ci à écrire sur la nouvelle idylle de la princesse. Apprenant cela, Diana appelle Simone Simmons et lui demande de dire au journaliste qu'elle voit toujours Oliver Hoare. Simone doit ajouter que, s'il ne la croit pas, il peut surprendre la princesse le soir même devant la maison de Hoare. Pour bétonner son scénario, Diana compte aussi appeler son assistante, Victoria Mendham, et lui demander de confirmer l'histoire – sans se soucier du fait que cela pourrait contrarier le marchand d'art.

Victoria Mendham a alors vingt-sept ans, et les deux femmes sont devenues proches. Mais quand Diana tente de la joindre, elle est absente. Clive Goodman est plus chanceux que la princesse. Il parvient à contacter Victoria qui, ignorant les manigances de Diana, nie toute liaison avec Oliver Hoare. Diana est furieuse. Victoria Mendham est renvoyée le 23 janvier, après sept années de bons et loyaux services au palais ! Les journaux, à l'époque, prétendent que son licenciement est dû à une dispute liée à l'argent, intervenue après les vacances de Noël dans les Caraïbes. En fait, il est vraisemblable que Diana se soit sentie trahie par Victoria Mendham.

Pendant tout ce temps, Diana a entretenu le contact avec la famille Khan, dont elle veut plus que jamais faire partie. En janvier 1997, Omar et Jane ont leur premier enfant. Diana, qui a suivi de près la grossesse, est presque aussi excitée que les nouveaux parents. Le nouveau-né est prénommé Dyan, en son honneur.

Diana fait le tour des boutiques pour bébés comme si c'était son propre enfant, achetant une poussette, un berceau et une quantité de vêtements. Elle débarque chez le couple et aide à monter la poussette. Le professeur Jawad Khan, arrivé du Pakistan pour la naissance de son neveu, est présent lui aussi. Il revoit encore la scène – le cardiologue et la princesse montant une voiture d'enfant ! Aucun d'eux n'avait fait une chose pareille auparavant. Diana plaisantait avec Omar et Jane : c'était comme une Ferrari, elle leur apprendrait à la conduire.

Un autre jour, elle se rend chez les nouveaux parents et leur déclare : « Vous pouvez sortir. Prenez tout le temps que vous voudrez, je fais le baby-sitting ! » Diana et Jane – que la princesse invite à Kensington Palace – tissent des liens solides. Jane lui parle de son expérience, elle qui a épousé un Pachtoune. Elle a dû user de persuasion et son intégration a demandé beaucoup de patience. Diana sait que, si elle veut épouser Hasnat, elle doit suivre la même voie. Il faut d'abord qu'elle parvienne à se faire accepter par la mère d'Hasnat, et la tâche s'annonce rude.

18

Entre deux feux

La route dite «des poids lourds», dans le nord du Pakistan, relie Lahore à Jhelum. Il s'agit d'un axe important, envahi par la circulation, et tellement mal entretenu en certains endroits que les nids-de-poule ont des allures de cratères. Les piétons ont la détestable habitude de traverser cette voie en courant, au risque d'y perdre la vie – ce qui arrive hélas fréquemment. Pour couronner le tout, la visibilité y est quasi nulle, à cause des tourbillons de poussière qui se forment sur les pistes longeant la chaussée.

À cinq kilomètres environ au nord de Jhelum, cette route amorce une descente. Un vieux panneau annonce : «Verres en tous genres.» Ici commence la propriété des Khan. La famille y gérait autrefois une fabrique de verre. Les bâtiments de l'usine sont aujourd'hui silencieux. Les locaux dévolus naguère aux bureaux de l'entreprise abritent désormais une école dirigée par une des sœurs d'Hasnat Khan. Le site est toujours entouré de ses murs épais de couleur ocre, mais toute magnificence a déserté ces lieux où la grandeur n'est plus qu'un souvenir.

Dans le domaine, à la sortie d'un virage, on tombe sur une imposante demeure entourée d'une véranda, dont l'architecture fait songer à ces anciennes habitations de planteur du sud des États-Unis. C'est la « petite maison », comme disent les membres de la famille Khan. Hasnat y a passé toute son enfance. Cette ancienne résidence abrite un salon aux murs jaunis, au plafond haut, au sol carrelé couvert de tapis. C'est l'hiver, aussi les ventilateurs sont-ils immobiles, silencieux. On devine que la vaste cheminée a animé de ses flammes et de ses crépitements nombre de soirées mais, en ce milieu d'après-midi, elle est éteinte. Tout est paisible, d'ailleurs, dans ce décor simple et ordinaire, expression d'une vie sans histoires. Plusieurs membres de la famille attendent, assis autour de la pièce sur des tabourets de cuir.

Un frisson parcourt l'assemblée. Dehors, sous la véranda, un mouvement s'est produit. Bientôt une silhouette apparaît au seuil du salon. Chacun salue la nouvelle venue, une femme de taille moyenne, vêtue d'un *shalwar kameez* de velours marron. Cette femme n'est autre que Naheed Khan, la mère d'Hasnat. Naheed est souvent décrite comme un être exceptionnel, doté d'une puissante énergie. Chacun se sent intimidé en sa présence.

Fille aînée d'Appa Khan, elle a vu le jour en 1931. Elle possède un diplôme des beaux-arts obtenu dans les années 1950. À cette époque déjà, elle était connue pour son fort caractère, mais on la considérait aussi comme une personnalité extrêmement libérale, à l'esprit ouvert. En tout cas, elle a toujours su exprimer ses vues avec beaucoup d'assurance et de clarté, comme quelqu'un dont l'opinion s'est forgée pas à pas, au terme de prudentes réflexions. Elle a coutume d'aller droit au but, et ce qu'elle dit vient directement du cœur – chose rare chez les anciens, dans cette société musulmane. La réunion qu'elle préside aujourd'hui est délicate pour une mère : le projet de mariage entre son fils Hasnat et la princesse Diana.

Naheed ne peut s'empêcher de rappeler à ses interlocuteurs les griefs qu'elle nourrit depuis toujours à l'égard des Anglais. Les Anglais ont exercé leur influence sur le Pakistan, et le résultat lui déplaît. La vie des gens n'en a été que trop bousculée. Elle avait seize ans, en 1947, quand fut décidée la partition des Indes. Une ligne frontière fut tracée pour séparer le Penjab et le Bengale, alors que ces deux contrées voyaient cohabiter depuis des siècles les hindous et les musulmans. Les cultures y étaient comme entremêlées. Avec la partition, on déplaça des populations entières. Naheed fut témoin de ces transferts qui comptent parmi les plus importants de l'histoire. Tous les musulmans passèrent d'un côté, tous les hindous de l'autre. Six millions d'âmes fuyant dans chaque direction. Tel fut l'effet de la « Radcliffe Line », la création de la frontière entre l'Inde et le Pakistan.

On assista des deux côtés à des émeutes et à des massacres qui firent entre deux cent mille et un million de morts. À cette époque, Naheed Khan et ses parents vivaient à Ferozepur, une ville située dans l'Inde actuelle. Ils durent quitter leur maison et déménager à Lahore – soit à quelques kilomètres de la frontière. Le souvenir de ces événements est resté très vif dans la mémoire de Naheed.

Aujourd'hui, le Pakistan appartient à une classe supérieure et à une élite qui représentent dix pour cent de la population. Les dirigeants, qui bénéficient d'un haut niveau d'éducation, sont particulièrement exposés aux influences occidentales. Raison pour laquelle, sans doute, ils sont moins respectueux des traditions familiales que les classes moyennes et populaires. Ils estiment d'ailleurs qu'il est de leur devoir de s'adapter aux transformations rapides exigées par un monde moderne, matérialiste et marchand. Or Naheed Khan est très claire sur ce point. Elle est fondamentalement hostile aux effets de l'Occident sur la société pakistanaise – sur sa culture, en particulier. Rien ne lui fait plus plaisir que d'entendre la jeune génération affirmer à nouveau son attachement aux valeurs traditionnelles, et au respect des anciens.

Tels sont les thèmes abordés lors de cet échange de vues dans la « petite maison », en arrière-plan du débat concernant l'avenir d'Hasnat.

En Inde, il y a les castes. Au Pakistan, ce sont les clans. Il s'agit dans les deux cas d'un système qui fonde la société, et lui sert d'ossature morale. Or Hasnat Khan, par sa famille, appartient au clan pachtoune. Les Pachtounes sont issus d'une race de guerriers fiers et conservateurs, d'abord établis en Afghanistan et au Pakistan. Leurs origines se perdent dans les profondeurs de l'histoire, mais la légende veut qu'ils soient les descendants d'Afghana, le petit-fils du roi Saül. À en croire la plupart des spécialistes, ils viendraient en droite lignée des anciens Aryens, auxquels des successions d'envahisseurs auraient mêlé leur sang.

Quoi qu'il en soit, les Pachtounes ont placé au cœur de leur vision du monde une certaine conception de la famille. Ils la voient comme une communauté au sens large, unie par des liens très puissants, beaucoup plus forts que dans nombre d'autres ethnies.

Naheed, qui a longuement réfléchi à ces questions, pense que la solidarité familiale est le système qui fonctionne le mieux dans ce genre de culture. Aussi se déclare-t-elle fidèle à la tradition. Elle approuve une société où le père et la mère élèvent leurs enfants, où les enfants veillent ensuite sur leurs parents, où trois générations peuvent cohabiter sous le même toit. Selon elle, c'est à ce prix qu'une communauté peut survivre.

Tandis que Naheed développe ses vues, la solidarité familiale opère, comme pour conforter ses propos. Une tante sort de la pièce. Elle gagne la véranda. Elle porte dans ses bras un enfant prénommé Memuhn. C'est le fils du plus jeune frère d'Hasnat. Ses parents sont absents, mais il n'a aucune raison de se sentir abandonné. Quelqu'un s'occupe de lui. Il deviendra bientôt le neveu «favori» d'un membre de la famille. Ainsi recevra-t-il un surcroît d'affection venu d'un autre membre du clan.

Tel est le système pachtoune. La famille y joue le rôle d'un coussin qui amortit les soucis et les peines. Elle offre à l'individu la sécurité dont il a besoin. Dans cet univers, quelqu'un qui endure les maux de la vie moderne – le chômage, par exemple – sait qu'il peut compter sur son entourage. Il sait que les siens veilleront sur son sort. Mais, en contrepartie, la famille fait reposer sur lui une lourde charge à laquelle il ne peut se soustraire. Car il est lui aussi responsable de ses frères, cousins et neveux. Ainsi se crée un équilibre. Ainsi le groupe assure sa fonction protectrice. Et tout cela, pense Naheed, vivra aussi longtemps que chacun partagera les ambitions et les idéaux du clan.

Dans cette culture, les mariages sont toujours arrangés. Il s'agit d'unions entre membres de familles qui se connaissent. Même après le mariage, la famille reste présente dans la vie des époux. Elle les conseille. Elle intervient pour résoudre leurs conflits. Autrement dit, le mariage ne concerne pas seulement les mariés. Il est aussi considéré comme un moyen de renforcer les liens du clan.

Quand un mariage est en vue, on prend en compte de nombreux éléments. La réputation de la personne, par exemple, joue un rôle important dans la décision. De même, celle de la famille en général. L'usage veut que le fils se sente chez lui quand il rend visite à ses parents, et vice versa. Mais l'épouse du fils ? S'entendra-t-elle avec eux ? Acceptera-t-elle, éventuellement, de vivre sous leur toit ? Ce n'est pas un mince problème. Surtout quand l'épouse a grandi dans la culture occidentale…

Les Pachtounes, de nos jours, sont devenus plus libéraux. Comme beaucoup d'autres peuples, ils tournent leur regard vers l'avenir. Mais ils sont toujours réticents à l'idée d'intégrer à leur communauté des personnes issues d'autres clans. Ils sont extrêmement fiers de leur race, quand bien même le Penjab n'est pas leur territoire originel. Ils qualifient même de mariage mixte une union avec une personne venue d'un autre groupe asiatique.

C'est au sein de ce système qu'a grandi Hasnat Khan. Hasnat était un garçon intelligent qui rêvait d'être un jour chirurgien cardiaque. Son but atteint, il n'a de cesse de se perfectionner. Hasnat a été adopté par son oncle Jawad qui l'a traité comme un fils. Jawad, lui-même médecin, a aidé Hasnat dans sa carrière. À son tour, Hasnat a adopté le fils aîné de Jawad, Mumraiz, qu'il considère comme son propre fils. C'est dire combien il est impliqué dans la vie de sa famille, au sens le plus traditionnel du terme.

Ses parents avaient déjà essayé de le marier à deux reprises, en 1987 et en 1992, mais dans un cas comme dans l'autre il avait différé sa décision, et le mariage n'avait jamais été conclu. Il s'était ensuite fiancé lui-même à une femme de son choix, sans parvenir là non plus à aller jusqu'au mariage.

Hasnat, désormais, a vécu de longues années en Occident. Il s'est habitué à un mode de vie différent, et est devenu hostile à un mariage arrangé. Cependant la culture pachtoune demeure son milieu naturel. N'est-ce pas elle qui l'a vu grandir ? Le fait est qu'il hésite toujours à prendre des dispositions personnelles sans en référer aux siens. Dans son esprit, une telle conduite signifierait briser les règles, risquer de diviser sa famille.

Les Khan ont déjà connu un cas de mariage mixte : Omar et Jane. Omar est le plus jeune frère du professeur Jawad. Il a grandi en Grande-Bretagne et s'est un jour épris d'une jeune Anglaise, Jane, qu'il décida d'épouser. C'est alors qu'il rencontra l'opposition des siens. On lui fit observer qu'il était responsable de la cohésion de la communauté, comme tout un chacun, et que le mariage mixte était le meilleur moyen de précipiter le groupe dans la déliquescence. Mais Omar tint bon. Jane et lui se connaissaient depuis plusieurs années déjà. La famille finit par admettre qu'il n'épouserait jamais une autre femme. Les anciens finirent par l'autoriser à convoler. La noce se déroula deux ans après la mort du père, à Model Town, dans la banlieue de Lahore.

Ne sous-estimons pas le pouvoir de la mère dans la société pachtoune. Comme le professeur Akbar Ahmed l'avait expliqué à la princesse Diana, l'islam en général lui voue un grand respect. Il ne s'agit d'ailleurs pas seulement de respect, mais de quelque chose de beaucoup plus profond. Ashfaq, l'oncle d'Hasnat, a ce commentaire : « Les garçons orientaux aiment énormément leur mère. Ça n'a rien à voir avec une théorie freudienne. C'est la pure réalité. Ils pensent, ils croient – et le Coran les confirme dans cette opinion – que le paradis repose aux pieds de la mère. Il existe dans notre religion un dicton célèbre : “Si tu irrites ta mère, tu en paieras le prix dans cette vie, mais aussi dans l’autre.”» Selon Ashfaq, l’influence maternelle se moque des continents et des cultures. Et il ajoute : «Hasnat ne peut pas s’éloigner d’un pouce du diktat de sa mère. Peu importe qu’il ait vécu longtemps en Grande-Bretagne. Il a beau avoir goûté à la liberté, il lui est impossible de dire non à sa mère. Sur aucun sujet.»

Plus Hasnat avançait en âge, plus on le pressait de se marier. Ses frères et ses sœurs n’avaient-ils pas tous convolé ? Il savait fort bien que Naheed rêvait de le voir épouser une femme du clan pachtoune – lui, son fils aîné. Il se sentait même contraint, en un sens, par un souhait dont elle ne faisait pas mystère. D’ailleurs, n’était-ce pas son devoir que d’y accéder ? En refusant de s’y plier, n’insultait-il pas ses parents ? Ne trahissait-il pas le clan ? Ne s’excluait-il pas lui-même de la communauté ? D’un autre côté, il était occidentalisé désormais. Et, à l’Ouest, ce n’étaient pas les familles qui mariaient les gens. Au contraire, chacun choisissait lui-même son partenaire. Certes, il lui restait la possibilité d’épouser une Pakistanaise de son choix. Mais il retournait rarement à Lahore. Et quand il s’y rendait, il n’y passait jamais plus d’une quinzaine de jours, ce qui était insuffisant pour espérer faire une rencontre intéressante.

Hasnat était pris entre deux feux. Il ne pouvait prendre aucune décision. Il lui était impossible de s’engager.

Et ce problème, au printemps 1997, lui occupait l’esprit. Ceux qui connaissent bien sa famille affirment qu’il était épris de Diana, à ce moment-là. C’était elle qu’il voulait épouser. Tel était son choix définitif. Son oncle Ashfaq s’exprime à ce propos : «Quand je réfléchis aux émotions profondes d’Hasnat, à ses sentiments dormants, alors je puis affirmer avec certitude qu'il était très amoureux de cette femme. La personnalité de la princesse l'impressionnait beaucoup. Plus que sa beauté, ou que son humanité. »

Hasnat avait parfaitement conscience des liens qui l'attachaient à son clan. Il n'ignorait pas les choix que sa culture lui imposait. En outre, le fait que Diana fût une célébrité internationale, une icône, ne collait pas avec son propre mode de vie. Cela faisait beaucoup de contradictions. En fait, il ne voyait pas très bien comment s'en sortir. Il n'était guère optimiste. Mais Diana, de son côté, cherchait désespérément à lui prouver qu'il se trompait. Elle était prête à tout pour lui démontrer que leur couple était promis au bonheur. Elle pensait d'ailleurs qu'il lui suffirait d'être présentée aux parents d'Hasnat pour que la situation s'arrange. Qu'elle fasse connaissance avec le clan, et le clan l'aimerait aussitôt – elle en était convaincue. Diana ne doutait pas de pouvoir venir à bout de toutes les résistances. Elle estimait même que c'était à elle de préparer le terrain, afin qu'Hasnat ait la voie libre pour s'engager enfin.

Hasnat réfléchit. Puis il suggéra à Diana de prendre l'avion et d'aller seule visiter Lahore et Islamabad. Il l'invitait à aller voir de ses yeux la maison des Khan, à se familiariser avec le style de vie qui était le leur, à se rendre compte par elle-même de ce qu'il en était là-bas. Diana accepta la proposition sans hésiter.

Lors d'une conversation téléphonique avec ses parents, Hasnat demanda à sa mère si elle accepterait de rencontrer Diana. Un nouveau chapitre s'ouvrait...

QUATRIÈME PARTIE

LE DERNIER ÉTÉ

19

« Je veux épouser Hasnat Khan »

Le 22 mai 1997, Diana s'envole vers Lahore pour la troisième fois, à bord du Boeing 747 privé de Sir James Goldsmith. Elle voyage avec la fille du milliardaire, Jemima Khan, et le fils de cette dernière, Suleiman, âgé de six mois. Son moral est au beau fixe : la veille, le Premier ministre britannique, Tony Blair, a annoncé l'interdiction totale des mines antipersonnel. En entendant la nouvelle, Diana s'est dressée, le poing levé, en criant : « Yesss ! »

Durant ce séjour au Pakistan, Diana réside chez Imran Khan, dans le quartier de Zaman Park. C'est une demeure en brique des années 1970, que se partagent Imran et Jemima, M. Khan père et la famille d'une de ses filles. La porte d'entrée en ogive ouvre sur un hall blanc spartiate et des marches de pierre polies conduisent à l'appartement d'Imran et Jemima.

La chambre de Diana est contiguë à la suite de ses hôtes. Les murs sont décorés de tapisseries orientales et le lit est niché dans une alcôve douillette.

Pour le grand public, la raison du voyage de la princesse est une visite à l'hôpital fondé par Imran Khan. Elle doit lancer un nouvel appel de fonds pour venir en aide à l'établissement. Tout le monde connaissant son intérêt pour les bonnes œuvres d'Imran, cela lui offre un alibi solide pour dissimuler la véritable motivation de sa présence.

Imran et Jemima ont invité une douzaine de couples pour que Diana fasse leur connaissance. Le dîner est servi dans le jardin intérieur de la demeure, au milieu des bambous ; de petites lumières accrochées aux branches des arbres éclairent la scène. Une grande tente a été montée pour abriter les plats. En compagnie d'Imran et Jemima, Diana accueille les invités à leur arrivée.

Parmi eux figure Jugnu Moshin, une journaliste qui a l'habitude d'épingler les abus commis par les puissants. Elle dirige à cette époque le journal de Lahore, le *Friday Times*, après avoir passé sept ans en Angleterre et étudié le droit à Cambridge. Durant le dîner, Jugnu est placée à côté de Diana, et les deux femmes entament bientôt une discussion. L'intérêt de Diana s'éveille quand Jugnu Mohsin lui explique qu'elle se considère comme une femme pakistanaise moderne, à la personnalité mixte.

Jugnu Mohsin raconte que Diana a été très intéressée par l'idée que l'on puisse être une femme « moderne », tout en s'accommodant des traditions musulmanes conservatrices d'un pays comme le Pakistan.

« L'idée de pouvoir concilier les deux cultures et de vivre une vie riche et créative dans un tel milieu a eu un grand écho chez la princesse. »

Diana demande à Jugnu si son mariage a été « arrangé ». La journaliste lui répond qu'elle a eu la « chance » de rencontrer son mari avant le mariage, et que celui-ci l'a toujours soutenue. « C'est donc un homme moderne ? » demande la princesse. « Oui, absolument. »

Durant le dîner, elles continuent de parler de la vie au Pakistan – ses difficultés, ses avantages, la sécurité représentée par la famille… Jugnu a le sentiment que le thème récurrent de l'amour et du soutien inconditionnel des familles orientales exerce un grand attrait sur Diana.

Plus tard dans la soirée, Diana décide de rentrer dans la maison et invite la journaliste à la suivre. Elles pénètrent dans le salon où les neveux d'Imran jouent au cricket. Diana se tourne vers Jugnu et lui glisse : « Je me sens vraiment chez moi ici. »

Il n'est pas difficile d'imaginer le cheminement des pensées de Diana ce soir-là. Elle évalue dans un premier temps sa capacité à vivre à cheval entre deux mondes et, dans un second, se rassure en se disant que c'est possible. Cela renforce sa détermination à faire la conquête de la famille Khan.

Le moment est maintenant venu de faire la connaissance des parents d'Hasnat. Mais il faut d'abord se mettre d'accord sur le lieu de la rencontre. Imran propose sa maison, pensant que c'est plus commode pour Diana. Mais la famille Khan estime que, si la princesse a fait tout ce chemin, ils se doivent de la recevoir chez eux. Finalement, l'affaire est conclue après un coup de téléphone de la mère d'Hasnat à Diana, qui viendra ce jour-là vers 17 heures à Model Town.

Diana se prépare, enfilant un *shalwar kameez* bleu que Jemima lui a fait faire à Lahore. Malgré un peu d'appréhension, elle semble excitée et pressée de rencontrer les membres de la famille qu'elle ne connaît pas encore, mais aussi de revoir Nanny Appa – et bien sûr de discuter avec les parents d'Hasnat. Elle est prévenue que Naheed est une femme volontaire, on lui a présenté le père d'Hasnat, Rasheed, comme un homme bon et tranquille.

Il est entendu que les deux sœurs d'Imran Khan, Aleema et Rhanee, accompagneront la princesse. Rhanee connaît bien la famille d'Hasnat, tandis qu'Aleema, âgée de trente-neuf ans, a rencontré la princesse lors de son voyage au Pakistan de 1996 et a discuté de la confection de ses tenues avec Rizwan Beyg et Jemima. Comme Diana, Aleema a deux fils, de quinze et douze ans.

La chose dont personne ne veut, c'est bien attirer l'attention de la presse. Il est donc décidé qu'Aleema conduira elle-même la princesse dans sa Toyota noire, de façon à ne pas faire naître de soupçons. Lorsque Diana fait le moindre déplacement, elle est normalement escortée par des cohortes de voitures de police. Cette fois, les trois femmes leur faussent compagnie et se rendent à Model Town dans la plus grande discrétion.

Le fait que Diana se soit rendue au Pakistan pour rencontrer la famille d'Hasnat prouve le sérieux de ses intentions. Onze membres de la famille d'Hasnat sont rassemblés dans la maison de Model Town : son frère et ses sœurs accompagnées de leurs maris, sa tante Maryam et son mari Salahuddin, Appa, Uzma (la femme du professeur Jawad) et bien sûr les parents d'Hasnat. Ces derniers ont parcouru cent quatre-vingt-quinze kilomètres depuis leur demeure de Jhelum.

C'est la fin de l'après-midi et la lumière commence à décliner. Le crépuscule arrive très vite. Les senteurs de jasmin saturent l'atmosphère et les moustiques commencent à sortir en prévision de leurs raids nocturnes. Il fait plus de trente-sept degrés et la chaleur moite est lancinante.

La voiture noire dans laquelle se trouve Diana se range lentement devant la maison. La princesse franchit le porche d'entrée, salue tous les membres de la famille, ainsi que le père et la mère d'Hasnat. Cela devait être la première et unique rencontre entre les deux femmes.

Les coupures d'électricité sont fréquentes au Pakistan, où les services publics ont été peu à peu abandonnés par des gouvernements toujours plus endettés. Mais celle qui survient soudain, alors que Diana vient d'arriver, prend une connotation sinistre.

Pour le moment, le manque de lumière n'est pas crucial. On place tout simplement les sièges de bois sur la pelouse devant la maison, sous les eucalyptus et les bananiers. À l'intérieur, Maryam prépare le thé. Tâtonnant dans le noir dans les armoires, elle parvient à mettre la main sur des tasses en grès sombre du Staffordshire décorées de fleurs. Il ne reste que cinq tasses assorties avec leurs soucoupes. Le thé, servi avec des pâtisseries et des douceurs achetées à la hâte dans une boutique proche, est apporté sur une vieille table roulante en bois, dont les roues grincent.

La famille fait des commentaires sur la coupure d'électricité, et Diana dit en souriant qu'il y a aussi eu une coupure d'eau chez Imran. Elle accepte ces péripéties et ne semble pas contrariée. Tout le monde agite un éventail. Le climat de la rencontre est informel et amical. Salahuddin, le mari de Maryam, complimente Diana pour sa tenue. Celle-ci lui explique que c'est un présent de Jemima, confectionné à Lahore. Il plaisante sur le fait que son *shalwar* à lui a été dessiné par Rifat Ozbek (un célèbre styliste d'origine turque).

Le bruit a couru dans le voisinage que la princesse se trouvait là, et bientôt une foule de voisins curieux s'est massée devant le portail avant d'envahir le jardin. Salahuddin doit les mettre à la porte, leur demandant de laisser la famille, qui doit discuter d'affaires privées, en paix. Il va ensuite chercher son appareil photo et immortalise l'événement sur une pellicule entière. Tout se passe au mieux dans une atmosphère bon enfant.

Derrière cette convivialité se cache pourtant la nécessité de séduire Naheed Khan. Diana prend du thé mais ne mange rien, ce qui laisse penser qu'elle est plus nerveuse qu'il ne semble. Les deux femmes discutent. C'est une conversation à bâtons rompus, personne n'aborde de sujets trop intimes. Les parents d'Hasnat ne posent aucune question qui puisse laisser penser qu'ils considèrent Diana comme un parti possible pour leur fils ; Diana, de son côté, ne fait rien pour leur laisser croire qu'elle voudrait devenir leur belle-fille. C'est seulement une occasion de se connaître, de se faire une première idée sur le caractère de chacun.

Lorsque la lumière revient, la réunion continue à l'intérieur. Dans une petite pièce qui jouxte le salon principal, les enfants sont installés sur des coussins devant la télévision. Diana se joint à eux pour regarder des dessins animés : *Les Aventures de Pénélope Pattaclop* et *Les Fous du volant*. Une heure plus tard environ, elle s'en va.

Diana semble sombre et pensive. Sur le chemin du retour, elle discute avec Aleema, s'interroge sur son avenir et sur ce qu'elle doit faire. Elle lui explique à quel point la presse l'irrite. Elle déteste l'idée que des journalistes puissent gagner de l'argent sur son dos, et se sent trahie par ces gens qui veulent exposer sa vie privée. Elle avoue aussi à Aleema qu'elle aimerait s'installer en Australie. Là-bas, les médias la laisseraient tranquille, ou seraient au moins plus distants. Elle lui raconte qu'Hasnat est le seul qui n'ait parlé d'elle à personne. Il n'a pas vendu son histoire à la presse et ne ferait jamais une chose pareille, ce qu'elle respecte infiniment.

Quand Aleema lui confie qu'elle aimerait avoir deux filles, Diana répond qu'elle aussi. Elle est contente d'avoir rencontré la famille Khan et se montre enthousiaste à l'idée de continuer sa campagne contre les mines antipersonnel, et les collectes de fonds pour l'hôpital d'Imran. Elle se dit prête à voyager dans d'autres pays du Moyen-Orient pour cela.

De retour à la maison, Diana se rend dans sa chambre. Imran Khan l'y rejoint. Ils ont une discussion à cœur ouvert, au cours de laquelle Diana lui confie sa profonde volonté d'épouser Hasnat Khan.

Pour Imran Khan, cela ne fait aucun doute : « C'était le bon ! »

20

« Dites au Dr Hasnat d'épouser la princesse ! »

Juin 1997 est particulièrement chargé, pour Diana. Au début du mois, elle assiste à une représentation du *Lac des cygnes* par le National English Ballet, à l'invitation de Mohamed al-Fayed. Trois jours plus tard, on murmure partout que la princesse a une nouvelle liaison avec un Pakistanais, Gulu Lalvani, un homme d'affaires de cinquante-huit ans. On a vu Diana et Gulu danser au nightclub Annabel's jusqu'à 2 heures du matin. Des photos ont même circulé. Hasnat ne manque pas de s'emporter à la lecture des journaux. D'ailleurs, il refuse de parler à Diana pendant plusieurs jours. La princesse, en désespoir de cause, téléphone à Lahore pour demander au professeur Jawad d'intervenir et tenter d'apaiser les choses.

On la voit aussi à des soirées de gala annonçant la mise aux enchères, à Londres et à New York, de plusieurs de ses robes. Cette campagne de promotion soulève une agitation frénétique dans les médias. Diana apparaît en couverture de *Vanity Fair*. Le magazine propose un article de deux pages et demie intitulé : « La renaissance de Diana. » La princesse a changé de coiffure ; on la voit les cheveux en bataille. Richard

Kay, du *Daily Mail*, l'interroge sur cette métamorphose et lui demande s'il faut voir là la *vraie* Diana.

La princesse s'implique aussi dans son combat contre les mines antipersonnel. Elle prend la parole à Londres et à Washington, au nom de la Croix-Rouge. Elle se rend à la Maison-Blanche, où elle rencontre Hillary Clinton. Aussitôt après cet entretien, elle s'envole pour New York où l'attend Mère Teresa. Ce rendez-vous entre deux des femmes les plus célèbres au monde est un événement. Il a lieu le 19 juin 1997. La planète entière voit Lady Di et Mère Teresa marcher main dans la main dans les quartiers difficiles de Brooklyn, se prendre dans les bras et prier ensemble.

Le 21 juin, près d'un mois après son retour du Pakistan, Diana décide d'aller rendre visite à Omar et Jane à Stratford-upon-Avon. Onze membres de la famille d'Hasnat ont fait le voyage depuis le Pakistan, et elle a plus que jamais envie de les voir, en particulier Nanny Appa. Elle arrive à Stratford vers 10 heures du matin, vêtue d'un simple jean. Sa tenue naturelle et décontractée crée la surprise. On boit un café en famille, et chacun se rappelle encore avoir vécu ce jour-là un agréable moment de détente. Diana décide ensuite d'emmener les enfants faire des achats au supermarché Tesco du coin. Tout excités, les petits s'engouffrent dans la BMW de la princesse et découvrent, ravis, qu'elle est même équipée d'un téléviseur.

Après avoir garé son bolide sur le parking du supermarché, Diana s'empare d'un Caddy. Soban – le plus jeune des enfants – y prend place, et la princesse se met à le pousser à toute allure dans les allées. Mais sans doute est-il plus facile de conduire une BMW qu'un chariot de supermarché, car celui-ci heurte bientôt une pile de haricots en conserve. La pyramide s'écroule et les boîtes se répandent partout. L'une d'elles s'ouvre en heurtant le sol. Les vendeurs, stupéfaits, échangent des regards et des murmures.

« Tu crois vraiment que c'est elle ? Tu crois que c'est Lady Di ? »

Mais les enfants s'appliquent à dissimuler l'identité de Diana, et l'un d'eux lance :

« Non, c'est pas Lady Diana ! C'est Sharon ! »

Les enfants se souviennent que Diana ne cessait de « tout bousculer » dans les rayons. Bien entendu, ils adoraient ça ! Leur témoignage est unanime : « C'était super ! » Ce qui les étonna le plus, ce fut de voir combien Diana était « cool ». Elle se comportait, disent-ils, comme une personne tout à fait « ordinaire ». Elle ne prenait absolument pas des airs de princesse, et ils ne l'en aimaient que davantage. « On aurait dit une cousine, se rappellent-ils. Une des nôtres. »

Diana achète des friandises, des chips et des sodas à ses jeunes accompagnateurs. À la caisse, l'employé ne peut s'empêcher de poser la question qui lui brûle les lèvres :

« Vous êtes Diana ?

— Bien sûr que non ! répond-elle. Vous trouvez que je ressemble à Diana ? Alors c'est formidable ! »

Mais il n'y a plus de doute, en réalité. Les vendeurs ont compris que c'est bel et bien la princesse de Galles qui est venue faire ses courses ! Quand elle regagne le parking avec sa ribambelle d'enfants, tout le magasin sort pour la saluer et l'applaudir.

Entre-temps, d'autres membres de la famille ont envahi la maison d'Omar et Jane. Tante Maryam est là, avec son mari Salahuddin et leurs trois enfants. Mais c'est à peine si Diana a le loisir de dire bonjour à tout le monde, car les enfants fraîchement arrivés réclament déjà à grands cris de monter dans la BMW, et d'aller à leur tour au supermarché acheter des friandises, des bonbons et des chips. Diana ne peut leur refuser ce plaisir.

Maryam, la plus jeune fille d'Appa, est la tante d'Hasnat, bien qu'ils aient sensiblement le même âge. Ils ont grandi ensemble, du reste, dans la maison de Jhelum. Maryam est un petit bout de femme qui a à cœur d'être toujours «dans le coup». Elle est très active et a horreur du temps perdu. Elle est toujours pressée, toujours anxieuse d'arriver en retard, et toujours à l'heure. Mais cela ne l'empêche nullement de consacrer du temps aux autres. Elle sait les écouter et les comprendre. Généreuse, chaleureuse, loyale, elle aime à couvrir ses proches de mille attentions. Son mari, Salahuddin, est un cousin d'Imran Khan. Cet homme plein d'humour, grand amateur de golf, a la réputation de n'avoir pas la langue dans sa poche. En général, il ne fait pas mystère de ses idées, quitte à provoquer de vives réactions autour de lui. Sa franchise traduit l'esprit ouvert et honnête d'un agréable compagnon.

De retour de ses balades au supermarché, Diana se laisse tomber dans un fauteuil et commence à bavarder avec Maryam. La conversation roule sur la vente des robes mises aux enchères chez Christie's. Celle de New York aura lieu dans quatre jours. Maryam estime que Diana a pris une excellente décision.

«Du coup, dit-elle, tu n'as plus rien à te mettre !»

Toutes deux éclatent de rire. Puis Diana redevient sérieuse. Toutes ces robes, dit-elle, ne font que lui rappeler sa vie antérieure, le temps où elle était l'épouse de l'héritier du trône. Les vendre signifie se débarrasser de sa vieille peau – de sa vieille identité.

«Maintenant, je n'en ai plus besoin !»

De nouveau, elle éclate de rire.

Après le déjeuner, elle tient à faire la vaisselle, aidée d'un des enfants du clan. La famille proteste qu'il y a un lave-vaisselle, mais c'est peine perdue.

« Dieu nous a donné d'adorables mains ! répond Diana depuis la cuisine. Alors autant s'en servir ! » On se précipite alors pour aider Diana à poser la vaisselle sur un égouttoir situé un peu en hauteur. Mais là encore, la princesse tient à accomplir cette besogne elle-même. Son argument : elle est « la plus grande » de l'assemblée !

L'après-midi s'avance. C'est aujourd'hui le quinzième anniversaire du prince William, et Diana explique qu'elle a hâte de revoir ses fils. Ce ne sera pas avant les prochaines vacances, dit-elle, un voile de tristesse dans les yeux. Elle ajoute qu'elle aimerait que les fillettes Khan viennent vivre une semaine à Kensington Palace. Ravies, les filles applaudissent à cette idée. Diana promet de les inviter bientôt.

« Je ferai de vous des *ladies* ! » assure-t-elle.

Uzma, l'épouse du professeur Jawad, intervient alors :

« Comment pouvez-vous dire cela ? Leur apprendre à devenir de vraies *ladies*, alors que vous ne vous souciez pas d'en être une vous-même ! »

L'équipée dans les rayons du supermarché a manifestement fait le tour de la famille…

Diana prend congé en début de soirée. Comme le professeur Jawad Khan est attendu à Londres pour une réunion, elle lui offre de faire le voyage avec elle. Elle agrémente sa proposition d'une plaisanterie.

« Vous n'avez pas envie de conduire ma BMW 750 aux vitres teintées ? Avec en prime une princesse comme passagère ?

— Eh bien, si nous avons une amende pour excès de vitesse, je vous l'adresserai ! » répond Jawad sur le même ton.

Au moment de partir, Uzma fait cadeau à Diana d'un collier de perles, que celle-ci promet de ne plus quitter.

« Oh ! dit Uzma, vous avez tellement de bijoux.

— Peut-être, reprend Diana, mais celui-ci m'est offert avec beaucoup d'amour et d'affection. »

Une semaine plus tard, le 28 juin, c'est au tour d'Hasnat d'aller à Stratford rendre visite à sa famille. Chacun peut observer combien il est anxieux. Il semble affronter de rudes tourments intérieurs. Il se débat manifestement dans une tempête de désirs contradictoires. La question du mariage avec Diana lui pose un gros problème, et pas seulement à cause des médias et des paparazzi. À en croire le témoignage de sa famille, il prend mal le fait que Diana soit une princesse. L'idée de vivre dans l'ombre d'une star lui déplaît fortement.

Comme toujours, la même question revient : pourquoi Hasnat est-il encore célibataire ? Il a trente-sept ans, et le clan de Lahore – sa mère en particulier – estime qu'il est plus que temps qu'il « s'établisse ». Tous ceux qui connaissent Hasnat s'accordent à dire qu'il adore les enfants. Il est évident qu'il aimerait fonder une famille. Or une femme est éprise de lui. Il le sait. Les siens le savent aussi.

Sans parler des nombreux Pakistanais qui sont suspendus à sa décision. Nombreux sont en effet les musulmans à estimer qu'un mariage entre Khan et Diana serait idéal. Un musulman prenant pour épouse la mère du futur roi d'Angleterre ! Ne serait-ce pas une incroyable surprise ? Au Pakistan, en particulier, un tel événement ne pourrait que renforcer la fierté nationale.

Hasnat sent bien, d'ailleurs, que beaucoup souhaitent cette union pour des raisons qui leur sont propres.

Plusieurs de ses amis affirment aujourd'hui que l'idée d'un mariage accompli à des fins patriotiques le gênait. S'il aspirait à se marier, ce n'était pas pour les autres ; c'était pour lui, pour être heureux, pour fonder une famille. Et la perspective d'épouser une femme venue d'un monde différent l'embarrassait plus, sans doute, qu'il n'osait se l'avouer.

Dans son quartier, nul n'ignorait que Diana avait coutume de venir le voir. Tout près de chez lui, une épicerie était tenue par une famille pakistanaise. Quand il arrivait que des visiteurs d'Hasnat y viennent faire une course, le propriétaire leur lançait :

« Dites au Dr Hasnat d'épouser la princesse ! »

Si on lui demandait pourquoi il était tellement partisan de ce mariage, il répondait : « Parce que ça ferait connaître le Pakistan dans le monde entier ! » L'avis de l'épicier de Chelsea était largement partagé ; et c'était précisément ce qui ennuyait Hasnat.

Pourtant, au début de cet été 1997, il confie à un membre au moins de sa proche famille qu'il aime Diana, et qu'il souhaite l'épouser. Des sources fiables le confirment. Hasnat, selon elles, s'est exprimé très clairement sur ce point. D'après d'autres témoignages, il était pris entre deux feux. C'était une torture, un conflit où s'affrontaient les cultures, les religions et les mœurs – les civilisations, peut-être. Et puis il n'avait pas affaire à une femme ordinaire. Diana était une princesse ; elle appartenait à la famille royale. En d'autres termes, la situation était désespérément bloquée. Certes, Diana s'était rendue au Pakistan pour rencontrer les parents d'Hasnat. Mais celui-ci n'avait pas encore demandé à son père la permission d'épouser la princesse, tant il craignait de décevoir ou de contrarier ses parents.

Le 25 juin, tandis qu'Hasnat était toujours aussi indécis, soixante-dix-neuf robes de Diana furent mises aux enchères chez Christie's, à New York. La vente de charité rencontra un succès énorme, puisqu'elle permit de lever deux millions de livres. L'une des robes fut emportée par un photographe londonien du nom de Jason Fraser. Il s'était rendu à New York pour *Paris-Match*, avec mission de miser 65 000 dollars sur le lot n° 4, une robe de cocktail noire arrivant aux genoux. Le magazine envisageait de lancer un concours dont la robe serait le premier prix. La princesse, à ce moment-là, n'avait pas eu de contact avec Fraser depuis plusieurs années. Elle l'aperçut à la sortie de chez Christie's. Heureuse de le rencontrer, elle lui adressa un signe chaleureux. Il n'en savait encore rien, mais il serait bientôt amené à la revoir.

Une amie de la princesse se rappelle qu'une chaleur terrible étouffait New York ce jour-là. Quand la vente fut terminée, Diana rentra à Londres où l'attendaient la grisaille et un ciel bas. Elle gagna Kensington Palace. Elle quitta immédiatement sa robe pour passer un jean. Puis elle enfila un petit haut et sortit danser sous la pluie jusqu'à en être trempée. « Voilà ! dit-elle à son personnel. Maintenant, je me sens bien mieux. » Elle devait raconter plus tard qu'elle s'était sentie comme soulevée vers le ciel. Elle était libre, enfin ! Fini, l'oiseau dans sa cage dorée ! Adieu, la solitude ! Quelque chose s'était produit en elle, qui l'avait apaisée. Elle ne doutait plus d'elle-même. Et l'avenir, pour une fois, semblait lui offrir des possibilités infinies.

L'été commençait, et Diana avait déjà plusieurs projets pour le début de saison. Pourtant, une réelle frustration l'empêchait d'en profiter pleinement. Car Hasnat, de son côté, était toujours incapable de prendre la moindre décision. Il avait beau savoir que Diana piaffait d'impatience, il n'agissait pas.

Pour l'un comme pour l'autre, ce mois de juin avait été synonyme de turbulences... Ce n'était qu'un prélude. La fin du mois marqua le début de la liaison entre Diana et Dodi, le fils de Mohamed al-Fayed. Une liaison tapageuse. Autant elle s'était montrée discrète dans sa relation avec Hasnat, autant elle livra ses nouvelles amours à la convoitise des médias du monde entier.

21

« Dites à Hasnat que je reviens »

Le 11 juillet 1997, un hélicoptère de Harrod's vient chercher Diana et ses deux fils à Kensington Palace, pour les emmener chez les al-Fayed, à Barrow Green Court, dans le Surrey. Après le déjeuner, ils repartent vers l'aéroport de Stansted, où ils embarquent dans un jet privé pour Nice. On les conduit ensuite dans le petit port de Saint-Laurent-du-Var, où ils montent à bord d'un luxueux yacht de plus de vingt millions d'euros, le *Jonikal*, que Mohamed al-Fayed a acheté dans le but d'impressionner ses invités royaux.

Ils naviguent le long de la Riviera, au large de Saint-Tropez, où le propriétaire des magasins Harrod's possède une villa située sur un terrain de quatre hectares débouchant sur une plage privée. La princesse connaît Mohamed al-Fayed depuis de nombreuses années. C'était un ami de son père, le comte Spencer, et sa belle-mère, Raine, a travaillé chez Harrod's International.

Le milliardaire avait déjà invité la princesse à venir passer des vacances chez lui, mais elle avait toujours décliné. Cette année, les choses sont différentes. Sa relation avec Hasnat semble dans l'impasse. Elle a besoin de se changer les idées et, quand l'opportunité s'offre de s'échapper de Kensington Palace, elle n'hésite pas à la saisir. Début juin, elle décide d'accepter l'offre que Mohamed al-Fayed lui a faite fin mai, à son retour du Pakistan.

C'est le premier été après son divorce et sa préoccupation principale est d'offrir d'agréables vacances à ses fils. Elle pense que William et Harry vont apprécier la compagnie des quatre enfants al-Fayed, Karim, Jasmine, Camilla et Omar. En outre, le service de sécurité des al-Fayed autour de la villa Sainte-Thérèse la rassure et lui assure la tranquillité. Diana et ses fils partagent leur temps entre des baignades depuis le yacht et la piscine de la villa. Dans l'enceinte de la propriété, Diana est sûre d'être à l'abri des regards. Mais, dès qu'elle s'aventure sur la plage privée, fait de la plongée ou du jet-ski, elle est la proie des paparazzi qui ont mis moins de vingt-quatre heures pour découvrir où elle était et débarquer en masse sur la Côte d'Azur.

Trois jours après leur arrivée, le 14 juillet, excédée par ces intrusions, Diana prend les choses en main et improvise une conférence de presse. Elle lance : « Vous allez être vraiment surpris par ce que je vais faire dans les prochains jours. »

Qu'a-t-elle en tête à ce moment-là ? Si l'on connaissait la réponse à cette question, bien des événements des six semaines suivantes seraient éclairés d'un jour nouveau. Ce qui est sûr, c'est qu'elle a un plan et qu'elle va utiliser la presse…

Lors de cette même conférence, elle confie qu'elle compte un jour quitter la Grande-Bretagne, car elle ne supporte plus l'attention constante des médias. Cette pression de tous les instants est insupportable et elle a peur qu'elle ne gâche les vacances de ses fils.

Mohamed al-Fayed se rend compte de la solitude de Diana, de son besoin de compagnie, et pense avoir trouvé une solution. Le jour même de la conférence de presse, Dodi al-Fayed, qui célèbre le 14 Juillet à Paris avec sa fiancée, le top model Kelly Fisher, reçoit un appel de son père. Celui-ci lui demande de venir immédiatement pour distraire la princesse.

Dodi a quarante-deux ans. Il doit se marier à peine trois semaines plus tard à Los Angeles. Son père lui a déjà acheté à Malibu un domaine de sept millions de dollars, qui a autrefois appartenu à Julie Andrews. Toujours soucieux de faire plaisir à son père, Dodi saute dans l'avion, laissant à Paris sa fiancée de trente et un ans.

Dodi – Emad de son vrai prénom, ce qui signifie « quelqu'un sur qui l'on peut compter » – est né le 15 avril 1955 à Alexandrie. Sa mère, Samira Khashorggi, est la sœur du marchand d'armes Adnan Khashorggi. En 1956, ses parents divorcent après seulement deux ans de mariage. Mohamed al-Fayed obtient la garde de son fils comme le prévoit la loi égyptienne.

Dodi vit une enfance nomade, entre sa pension huppée en Suisse, des vacances dans plusieurs résidences en France ou en Égypte, et des croisières sur des yachts en Méditerranée. À quinze ans, il possède son propre appartement à Londres, une Rolls-Royce conduite par un chauffeur et un garde du corps. À dix-huit ans, il entre à Sandhurst, l'école d'officiers britannique, avant de décider que la vie militaire n'est pas faite pour lui. Commence alors une existence de play-boy producteur de films. Il investit en 1980 dans la comédie musicale *Breaking Glass*, puis dans les films *Les Chariots de feu* (1981) et *Le Monde selon Garp* (1982). Il se marie une première fois en 1984 au mannequin Suzanne Gregard, mais l'union ne dure qu'une dizaine de mois.

Quand il arrive à Saint-Tropez à la demande de son père, ce n'est pas la première fois qu'il rencontre Diana. Ils se sont croisés à l'occasion d'un match de polo en 1984 alors que le mariage de Diana commençait déjà à se fissurer. En 1992, Diana a emmené ses fils à la première du film de Steven Spielberg, *Hook*, et l'a de nouveau rencontré. Enfin, ils ont fait plus ample connaissance à l'occasion d'un dîner organisé par la belle-mère de Diana, Raine. Rien de plus. Ils se sont croisés à quelques reprises, sans que naisse entre eux la moindre flamme, et cela aurait continué ainsi si Diana, malheureuse dans sa relation avec Hasnat, n'avait pas eu besoin de compagnie.

Dodi embarque sur le *Jonikal* avec son garde du corps, Trevor Rees-Jones, le 14 juillet au soir. Le collègue et ami de Trevor, Alexander Wingfield, que ses amis appellent « Kez », est déjà à la villa.

Pendant les cinq jours qu'ils passent ensemble sur le *Jonikal*, Dodi et Diana discutent à maintes reprises. Ils viennent tous deux de foyers brisés et ont été séparés très jeunes de leur mère, ce qui les fait souffrir du même sentiment d'insécurité. Pour ceux qui observent leur rapprochement, il est cohérent avec le penchant de Diana pour les amitiés orientales. Ces vacances en compagnie des al-Fayed permettent à Diana de profiter de la chaleur d'une grande famille, comme elle les a toujours aimées. C'est si différent de ce qu'elle a vécu avec l'establishment !

Elle explique à son amie Lady Elsa Bowker qu'elle n'a « jamais été aussi gâtée et aimée. C'est extraordinaire, ajoute-t-elle, de sentir cette chaleur. »

« C'est le bonheur[1]... », avoue-t-elle à son amie Rosa Monckton.

---

1. In *Requiem: Diana, Princess of Wales 1961-1997*, *op. cit.*

Contrairement à Hasnat Khan, Dodi n'a aucune obligation, ce qui lui permet de consacrer tout son temps à Diana – du moins quand il ne fait pas la navette entre deux bateaux… Le 16 juillet, en effet, Kelly Fisher est venue de Paris le rejoindre. Mais elle a pris ses quartiers sur un autre yacht de la famille, le *Sakara*. Les deux jours suivants, Dodi passe ses journées à la villa et ses nuits sur le yacht, auprès de Kelly.

La rencontre avec Dodi tombe à point nommé pour distraire Diana de ses préoccupations, et notamment du cinquantième anniversaire de Camilla Parker Bowles qui doit être fêté à Highgrove, demeure du Gloucestershire où Diana a vécu avec Charles aux premiers temps de leur mariage. Malgré leurs dissensions, Charles reste une figure importante dans sa vie – même si sa nouvelle confiance en elle lui a permis de se dégager de son emprise. Il n'en reste pas moins que la relation entre Charles et Camilla la blesse toujours.

Selon Debbie Frank, Dodi est entré dans la vie de Diana à un moment où elle avait vraiment besoin d'une échappatoire. « Elle avait besoin de se libérer du désespoir qui l'envahissait à l'idée que Charles et Camilla puissent être ensemble. »

Ce matin du 18 juillet, les tabloïds regorgent de photos de Diana nageant, faisant de la plongée et chevauchant un jet-ski derrière Harry. Après deux ans passés à fuir la presse durant sa relation avec Hasnat, c'est un soulagement de pouvoir se montrer au grand jour avec quelqu'un. Elle veut manifestement être prise en photo.

Le 20 juillet, Diana et ses fils repartent pour Londres dans un jet privé. Dans la soirée, William et Harry se rendent à Balmoral et Diana sait qu'elle ne les reverra pas avant un mois. Le lendemain, Dodi fait porter à la princesse une grande brassée de roses ainsi que son premier cadeau : une montre en or de plus de dix mille euros.

Ses amis disent que Diana faisait peu de cas des cadeaux dont la couvrait Dodi. Elle en a parlé très librement avec Roberto Devorik. « Je crois qu'elle était fascinée par Dodi et sa culture. "J'ai entendu dire que tu étais comblée de cadeaux de toutes sortes !", lui ai-je glissé un jour. "Tu sais, ce n'est pas ce qui m'intéresse le plus dans la vie", m'a-t-elle répondu. »

Le 22 juillet, Diana assiste aux funérailles du styliste Gianni Versace. Elle est assise à côté d'Elton John, qu'elle réconforte.

Quatre jours plus tard, le samedi 26 juillet, elle se rend à Paris pour un rendez-vous secret organisé à la hâte avec Dodi. Elle loge au Ritz, l'hôtel de la place Vendôme qui appartient aux al-Fayed depuis 1979. La suite impériale à huit mille sept cents euros lui a été réservée.

Dodi va la chercher à l'héliport et l'emmène voir la villa Windsor, où le duc et la duchesse de Windsor ont vécu en exil de 1953 à la mort du duc, en 1972. Puis ils dînent chez Lucas-Carton. Après avoir passé la nuit seule à l'hôtel, Diana prend son petit déjeuner avec Dodi, puis repart pour Londres.

Elle a peu de projets pour le mois d'août et voit se profiler de longues semaines de solitude. Aussi accepte-t-elle immédiatement une nouvelle invitation pour une croisière de six jours en Corse et en Sardaigne à bord du *Jonikal*. Cette fois, elle sera seule avec Dodi…

Pendant ce temps, Hasnat continue de lutter avec ses sentiments pour décider s'il doit – et peut – épouser Diana. Aller à l'encontre de ce que souhaite sa mère est un problème, qu'elle formule ses réticences ou non. Laissée à Appa, l'approbation du mariage n'aurait pas fait de doute. Mais c'est sa grand-mère, pas sa mère…

Début juillet, Salahuddin Khan, le mari de tante Maryam, quitte Omar et Jane pour aller chez Hasnat, à Londres, passer quelques jours. Il s'est rendu seul dans la capitale pour pouvoir travailler un peu, loin du tumulte familial de Stratford. Un jour, alors qu'il est seul dans l'appartement et plongé dans son travail, le téléphone sonne. Hasnat est déjà parti pour l'hôpital. Salahuddin décroche : c'est Diana. Ils échangent des salutations puis la princesse demande à parler à Hasnat. Apprenant qu'il n'est pas là, elle le charge d'un message : « Dites à Hasnat que je reviens le [*elle précise une date dont Salahuddin ne se souvient pas mais qui doit être le 20*] et demandez-lui de m'appeler ce soir-là. »

Quand Hasnat rentre, Salahuddin lui transmet le message. Diana est encore amoureuse de lui à cette époque, selon des sources proches de la famille Khan. Hasnat lui-même n'a pas abandonné l'idée d'un mariage. Il veut d'ailleurs faire venir ses parents à Londres pour discuter avec eux de ses projets matrimoniaux.

Indécis, Hasnat a finalement confié ses sentiments mi-juillet à une personne de confiance. Les sources pakistanaises confirment que le conseil qu'il en a reçu a été simple : mettre un terme à cette relation et reprendre le cours de sa vie.

Le 30 juillet, la princesse Diana et Hasnat Khan se rencontrent à Kensington Palace. Après presque deux ans, leur relation prend fin.

En 2007, aux enquêteurs chargés de lever le voile sur la mort de Diana et de Dodi, Rosa Monckton a déclaré que la princesse de Galles lui avait affirmé que Hasnat était à l'origine de la rupture. Pourtant, Sarah

McCorquodale, la sœur de Diana, pense le contraire. Selon elle, c'est Diana qui a provoqué la séparation.

Le 2 août, plusieurs proches doivent retourner au Pakistan. Alors qu'il dit adieu à sa famille, des enfants lui glissent plusieurs cartes destinées à Diana. Quand ils lui demandent de les lui remettre, Hasnat répond qu'il ne pourra pas le faire car il ne la «voit plus». Il ajoute simplement que les cartes seront postées.

Début août donc, la relation, de son point de vue, est terminée, et il l'a dit à Diana. La presse a toujours cru que Diana et Hasnat avaient rompu bien avant. Cette nouvelle donne éclaire d'un jour nouveau la liaison entre Diana et Dodi.

Les premiers éléments du drame final se sont mis en place dès la fin juillet, au moment où Diana a entendu de la bouche de l'homme qu'elle aimait que leur relation devait cesser. Mais il n'était pas question pour elle d'accepter cela si facilement.

Elle avait déjà un plan.

22

Anatomie d'un baiser

Après ce rendez-vous secret à Paris avec Dodi al-Fayed, Diana s'envole pour Londres le dimanche 27 juillet. Elle a déjà pris ses dispositions afin de retrouver Dodi le jeudi suivant. Ils partiront alors pour six jours de croisière à bord du *Jonikal*.

Trois jours plus tard, sa relation avec Hasnat Khan «prend fin». Pour la sœur de Lady Di, Sarah McCorquodale, le doute n'est guère permis. «Je suis à peu près certaine que Diana a rompu dans l'espoir de le voir revenir», a-t-elle déclaré aux enquêteurs. En d'autres termes, devant la réticence de Khan à s'engager, la princesse de Galles aurait imaginé ce stratagème pour lui forcer la main. Cette hypothèse est plus que vraisemblable.

Comme toute lectrice de romans sentimentaux, elle sait que l'héroïne doit commencer par rendre son amant jaloux si elle veut le récupérer – une partition dont Diana s'est déjà servie à plusieurs reprises.

Le samedi 2 août, deux jours après le début de la croisière, quelques heures avant que la famille d'Hasnat Khan ne rentre au Pakistan, un avion atterrit en Sardaigne. À bord se trouve Mario Brenna, un paparazzo italien. En soi, le fait n'a rien d'extraordinaire. Les paparazzi finissent toujours par venir sur les terres de leurs proies. Chose inhabituelle : il est seul – d'ordinaire ils chassent en meute.

Brenna a quarante ans. Il est basé à Milan et exerce ce métier depuis de longues années déjà. Le mot « paparazzi », de nos jours, est lourd de connotations négatives. Mais Brenna jouissait d'une forte notoriété dans ces univers jumeaux que sont le milieu de la mode et la jet-set. Il avait entre autres été le photographe personnel du couturier Gianni Versace, qui l'autorisait à couvrir ses réceptions et à en diffuser les images dans les magazines de mode et les revues people du monde entier. Mais cela appartenait désormais au passé, Versace ayant été assassiné trois semaines plus tôt.

Brenna est en Sardaigne pour se lancer à la poursuite du *Jonikal.* Il est résolu à surprendre Diana et Dodi à bord de leur yacht, à immortaliser cette « croisière de l'amour », selon l'expression qui serait mise à l'honneur par les médias.

Le *Jonikal* est un yacht de soixante mètres, un superbe navire à deux ponts, équipé de douze cabines et prévu pour naviguer avec seize membres d'équipage. On y trouvait trois salons, une salle à manger, un bar en terrasse, deux cuisines, un solarium et même une piste pour l'atterrissage des hélicoptères. Le majordome de Dodi al-Fayed, René Delorm, était présent à bord durant cette croisière. Cet homme d'origine marocaine a rassemblé ses souvenirs dès 1998 dans un ouvrage intitulé *Diana & Dodi: A Love Story.* Selon lui, ils prenaient des bains de soleil et s'échangeaient les journaux – le *Times*, le *Daily Mail.* Lady Di, bien entendu, passait des heures au téléphone, fidèle à son habitude d'appeler ses amis pour leur faire part de ses pensées du moment.

Tout montre que Diana profitait paisiblement du luxe qui lui était offert et de la compagnie de Dodi. Pourtant, les choses sont moins simples qu'il n'y paraît. En réalité – et ce fait n'a jamais été mentionné ailleurs –, elle *n'ignorait pas* qu'un paparazzo surveillait le yacht. Mario Brenna n'était pas loin. Et sa présence ne devait rien au hasard. La question qui se pose est donc de savoir qui a fourni à Brenna le « tuyau » du *Jonikal.* C'est ici que nous retrouvons la trace de Jason Fraser, le photographe venu à New York acheter pour *Paris Match* une des robes de Diana.

Fraser n'a que trente-trois ans mais c'est déjà un vieux briscard. À l'âge de douze ans, il vendait ses premières photos à un journal local. Après avoir couvert différents conflits, en particulier ceux du Moyen-Orient et d'Irlande du Nord, il fit une incursion dans le monde politique avec des reportages sur Margaret Thatcher et John Major, notamment, avant de se tourner vers un univers bien plus lucratif, celui du show-biz. Des sources fiables affirment que c'est lui qui a prévenu Brenna de la présence de Diana à bord du *Jonikal.*

Ce globe-trotter surdoué et polyglotte a toujours dit qu'il photographiait rarement les gens sans leur accord. Certes. Mais il doit une bonne partie de son succès aux indiscrétions obtenues par le Dr James Colthurst, entre 1989 et 1991 – informations que Colthurst livrera également à Andrew Morton et qui lui serviront de base pour *Diana, sa vraie histoire.* Diana, à l'époque, informait Colthurst qui renseignait lui-même Fraser – raison pour laquelle celui-ci défrayait la chronique avec les liaisons de la princesse.

Nombre de théories ont été émises au sujet des photos du célèbre « baiser ». Où, quand, comment ontelles été prises ? Chacun a essayé de répondre à ces questions à partir des éléments dont il disposait. Mais personne, jusqu'ici, n'avait émis l'hypothèse que les clichés pouvaient avoir fait l'objet d'une mise en scène délibérée, ce que nous savons à présent. En ajoutant même que c'est la princesse en personne qui orchestrait toute l'opération. Dodi, lui, n'était au courant de rien.

Jason Fraser reçut l'appel inattendu d'un correspondant appartenant au premier cercle des intimes de Diana, une personne de surcroît loyale envers la princesse, qui lui fournit un renseignement de première importance : Diana et Dodi partaient tous les deux pour une croisière en Méditerranée à bord du *Jonikal*. Cette personne laissa entendre qu'aucune plainte ne serait déposée quand paraîtraient les photos. Fraser s'est toujours refusé à commenter cet entretien téléphonique. Interrogé à ce sujet, il se contente généralement de répondre : « On m'a communiqué des infos, point. Je ne citerai pas ma source. » Aussitôt après avoir raccroché, il appela un autre correspondant – lequel n'était autre que Mario Brenna.

Il est temps maintenant de lever le voile sur la façon dont fut prise la photo du célèbre « baiser ». Brenna arrive le 2 août dans le nord-est de la Sardaigne. Il repère tout de suite le *Jonikal* qui mouille au large de Cala di Volpe. Il s'approche du yacht sur un puissant canot pneumatique. Il en fait le tour, en se tenant à une distance d'environ deux cents mètres. Il voit à bord une femme blonde en train de téléphoner. Est-ce Diana ? Il n'en est pas absolument sûr. Six heures durant, de 13 heures à 19 heures, il continue de surveiller le yacht sans prendre aucune photo. Le soir venu, il décide d'attendre le lendemain matin pour passer à l'action.

Le 3 août, à 7 heures, il s'approche de nouveau du navire et reste à son poste cinq heures durant. Il est sûr, désormais, que la femme blonde est bien Lady Di. Selon lui, la meilleure option consiste à patienter jusqu'à ce que la bonne photo se présente. Pour le moment, Diana est restée au téléphone. Puis elle a quitté le pont. À l'évidence, elle peut reparaître d'une minute à l'autre, peut-être en compagnie de Dodi… Mais Brenna reçoit un appel. On réclame sa présence à une petite dizaine de kilomètres de là. À Porto Rotondo. Un sujet à traiter en urgence, lui dit-on. Brenna hésite mais décide de s'y rendre.

L'affaire lui prend en tout et pour tout deux heures. Mais à son retour à Cala di Volpe, le *Jonikal* a levé l'ancre et disparu !

Découragé, Brenna appelle Jason Fraser qui répond par une plaisanterie : « Tu veux que je saute dans un avion, c'est ça ? Et que je vienne prendre les photos moi-même ? » Brenna le rassure. Il contrôle la situation, lui dit-il. La situation, quelqu'un la contrôle assurément. Et ce quelqu'un se révèle un manipulateur de premier ordre. En effet, Fraser et Brenna opèrent sur la base d'informations qui leur sont communiquées au compte-gouttes.

Dimanche soir, nouveau tuyau. Diana et Dodi ont été vus à Porto Cervo, où ils effectuaient des achats. Brenna reprend courage. Si l'information est exacte, le yacht ne peut être loin. Le lundi 4, il se lève à 6 heures, saute dans son canot et part à la recherche du *Jonikal*. La chance est avec lui car il repère le yacht sans trop de peine. Cette fois, il est décidé à passer à l'action sans attendre.

Le *Jonikal* appareille pour la Corse à 10 heures. Brenna le prend en chasse à une vitesse de vingt milles nautiques, et fait en sorte de ne pas le perdre de vue. Il voit le *Jonikal* jeter l'ancre à Isola Piana, entre la Corse et la Sardaigne. Dodi et Diana mettent à l'eau un canot à moteur et vont nager vers la côte. C'est là que seront prises les toutes premières photos d'un baiser qui fera bientôt le tour du monde.

Diana et Dodi remontent dans le canot et s'éloignent. Au bout d'un moment, ils coupent les gaz et laissent dériver leur embarcation vers Cavallo. Brenna, entre-temps, est tombé sur des amis italiens venus en famille passer des vacances dans le sud de la Corse. Ceux-ci l'invitent à monter sur leur bateau. L'occasion est trop belle. Un yacht n'est-il pas la meilleure des couvertures ? Diana et Dodi prennent maintenant un bain de soleil dans leur canot à moteur. À vingt mètres ! Brenna réalise une série de clichés.

Diana possédait un sixième sens grâce auquel elle percevait la présence des paparazzi. Ce fait est confirmé par un proche : « C'était un instinct chez elle. Elle avait une intuition surprenante. Si un objectif était braqué sur elle, elle le sentait tout de suite. » Certaines de ces photos montrent Diana fixant des yeux l'objectif. Les bretelles de son maillot de bain noir et blanc retombent sur ses bras de façon provocante, comme si elle avait deviné que Brenna était là, en train de la mitrailler. Elle ne fait rien pour cacher son visage – alors que c'était toujours son premier réflexe quand elle était surprise par des paparazzi. Bien au contraire, elle semble avoir conscience qu'on la photographie, et n'en éprouver aucune gêne.

Une heure plus tard, à l'heure du déjeuner, Diana et Dodi regagnent le *Jonikal*. Brenna retourne dans son canot et reste dans le sillage du yacht jusqu'à la fin de l'après-midi. Il voit le *Jonikal* jeter l'ancre à Punta de Sperono. Il tente de s'en approcher. Mais, bien vite, il craint de se faire repérer. Changeant de stratégie, il choisit de regagner le rivage. Là, il se hisse sur les rochers. Il sort de son sac un téléobjectif Canon de 800 mm. Et il attend. Vers 17 heures, Diana et Dodi apparaissent sur le pont. Brenna est à cinq cents mètres. Diana porte un maillot une pièce rose orné de fleurs multicolores. Dodi est torse nu. Elle l'enlace. Ils s'étreignent tendrement. Les clichés ont un peu de grain car Brenna a travaillé aux limites de ses possibilités techniques. Pourtant, ils vont déclencher une véritable tempête.

Pour Brenna, la mission est accomplie. Il embarque dans le premier avion pour Paris. Il développe ses photos, et saute dans un autre avion pour Londres. Il se rend directement chez Fraser. Tous deux étalent les tirages sur le carrelage de la cuisine. Il ne leur reste plus qu'à porter un toast. L'opération est un franc succès !

Dès le mercredi 6 août, des bruits circulent, selon lesquels il existe des photos montrant Diana et Dodi tendrement et passionnément enlacés. Le jeudi, une agitation frénétique parcourt Fleet Street. Fraser reçoit trente coups de téléphone par heure. Les rédacteurs en chef des journaux font le siège de son appartement pour se disputer ses photos. Les enchères s'emballent. Elles atteignent un pic quand le *Sunday Mirror* offre deux cent cinquante mille livres pour publier en premier les trois quarts des clichés. Le *Sun* et le *Daily Mail* proposent, eux, cent mille livres pour avoir ensuite le droit de reproduire la totalité des photos.

Le dimanche 10 août, les unes des journaux offrent à leurs lecteurs « la plus parlante de toutes les images ». À l'évidence, la relation entre Diana et Dodi a dépassé le cadre d'un simple flirt estival. C'est à une authentique histoire d'amour que le monde assiste. La preuve ? Ces photos. Certes, elles sont un peu floues. Mais si éloquentes ! Dodi et Diana s'aiment – tel est le message. Un titre l'annonce en caractères de six centimètres : « Le BAISER ». Le sous-titre est ainsi formulé : « Lovée dans les bras de son amant, la princesse trouve enfin le bonheur. » Les clichés de Fraser feront la une de toute la presse internationale.

Le 21 août, onze jours après qu'ont été diffusées les photos du « baiser », le jet privé des al-Fayed se pose à Nice. L'avion arrive de l'aéroport de Stansted, près de Londres. Diana et Dodi en descendent. Ils nourrissent le projet de repartir pour une nouvelle croisière. Une Range Rover, puis une Mercedes les conduisent au petit port de Saint-Laurent-du-Var.

Des centaines de paparazzi sont cette fois sur les traces de Diana et Dodi, tant les photos du couple valent désormais de l'or. Mais, une fois de plus, c'est Jason Fraser qui emporte la mise. Les plaisanciers les plus célèbres du monde ne sont pas encore arrivés à Saint-Laurent-du-Var qu'il est déjà sur place avec deux collègues d'Eliot Press, la première agence française de photos de show-biz. Comment s'est-il débrouillé pour obtenir l'information ? La réponse est simple. Encore une fois, on l'a prévenu.

À la minute où ils montent sur le bateau qui doit les conduire au *Jonikal*, Diana et Dodi sont photographiés. Il fait nuit mais on remarque une expression d'authentique surprise sur le visage de Dodi. Il vient de s'apercevoir que son projet de vacances *incognito* n'est plus qu'une illusion. Diana, elle, ne semble pas le moins du monde étonnée.

Pendant huit jours, Fraser a toute latitude pour prendre des photos. Il photographie le couple à bord du *Jonikal* faisant route de Saint-Laurent-du-Var à Saint-Tropez, puis de Saint-Tropez à Saint-Jean-Cap-Ferrat.

À Monaco aussi, où le yacht mouille une nuit avant d'appareiller pour Portofino et la Sardaigne.

Pour le fameux baiser, Jason Fraser avait bénéficié d'informations émanant d'un proche de la princesse. Cette fois, les choses sont différentes. Il semble que ce soit bien Diana en personne qui l'appelle. Le 24 août, quand Fraser décroche son téléphone, voilà ce qu'il entend : « Tu es là ? Tu la prends, cette photo ? Qu'est-ce que tu as fait, comme prise de vue ? »

Vient le célèbre cliché où l'on voit Diana et Dodi se couvrir de baisers sur un lit de coussins jaunes. Ils sont alors sur le pont du *Jonikal*. Le yacht est au mouillage à Portofino. On se souvient de Diana en maillot de bain bleu. Elle a parfois une serviette jaune autour de la taille. Dodi porte un short jaune. Il caresse les cheveux et les épaules de Diana. Le lendemain, le 25 août, le photographe est dans sa chambre d'hôtel quand il reçoit un autre appel de la princesse qui lui demande pourquoi les clichés publiés dans la presse ont autant de grain.

Il est clair alors que Dodi savait lui aussi, contrairement à la première fois, que les paparazzi prenaient des photos de lui et de Diana. Ils savaient l'un et l'autre ce qui se passait. Tous deux avaient décidé de faire étalage de leur liaison. Même si chacun possédait ses propres raisons ! Dodi voulait montrer qu'il sortait avec la femme la plus célèbre du monde, ce qui comblait tous les vœux de son père. Diana, elle, agissait dans un but complètement différent…

Fraser a toujours refusé de confirmer ce que les sources proches de l'affaire nous ont appris. Il accepte seulement de reconnaître qu'il bénéficiait d'informations privilégiées. Quoi qu'il en soit, son « reportage » se poursuivit jusqu'au 28 août, date à laquelle on lui fit comprendre qu'il y avait assez de photos. On n'avait plus besoin de ses services. Ce qui explique qu'il n'était pas à Paris quand survint le fatal accident du pont de l'Alma.

Les images du «baiser» et celles qui se répandirent ensuite dans le monde entier jusqu'à la fin du mois avaient été programmées de façon délibérée – c'est désormais une évidence. Reste à savoir quel message elles étaient supposées véhiculer.

On sait que Diana avait l'habitude de manipuler les médias. Il lui était déjà arrivé de se servir de la presse à des fins personnelles. Deux exemples parmi d'autres : les photos prises en 1992 devant le Taj Mahal et les pyramides égyptiennes de Gizeh. Sans parler de toutes les informations qu'elle laisse «fuiter» par des amis de confiance. Jusqu'en 1992, c'est souvent James Colthurst qui endossa ce rôle. Avant qu'il ne soit confié à Simone Simmons, qui œuvra jusqu'en mars 1997. Mais Diana pouvait aussi s'adresser directement aux journalistes pour leur suggérer des idées d'articles. Ainsi Andrew Morton fut-il mis à contribution. Tout comme Richard Kay, les dernières années...

Ce qui nous ramène à la même question. Diana s'est arrangée pour que des photos soient prises et diffusées – l'affaire est entendue. Mais pour quelle raison ? Il ne peut en exister qu'une seule : Hasnat Khan. La princesse entendait provoquer chez lui un électrochoc. Elle voulait piquer sa jalousie et l'obliger à admettre qu'il était toujours amoureux. Afin qu'il revienne vers elle.

D'après des sources concordantes, Jason Fraser a appris le 30 juillet que Diana ferait une croisière à bord du *Jonikal*. Cela n'incite-t-il pas à penser que Diana avait l'idée de se servir de ses vacances en mer pour adresser à Hasnat Khan un terrible et puissant message ?

Diana savait d'expérience l'effet produit par les médias sur les cœurs et les esprits. Elle savait que la publication des photos avait de fortes chances de provoquer chez Hasnat une réaction. N'avait-il pas été bouleversé, en novembre 1996, quand elle avait nié publiquement avoir une liaison avec lui ? Et en 1997, quand le bruit avait couru qu'elle sortait avec Gulu Lalvani ? Cette fois-là, il en avait même pleuré de désespoir.

Hasnat Khan n'était pas un homme extraverti. Il n'avait pas l'habitude d'étaler ses sentiments au grand jour. Mais il n'était ni superficiel ni sans cœur. Ses proches ont du reste décrit son désespoir après que la princesse eut dit adieu. Diana a sans doute pensé qu'elle avait les moyens de le faire revenir. Quand la presse publierait des photos d'elle embrassant ouvertement un autre musulman, Hasnat serait de nouveau en proie au désespoir. Et peut-être cette angoisse éveillerait-elle en lui une forte jalousie. Dès lors, il serait mûr. Elle le ferait revenir.

Les photos ont donc été publiées avec l'approbation de Diana. Toute la stratégie qui préside à cette affaire, du reste, a été mise au point avec son accord. S'il en fallait une preuve supplémentaire, il suffit de se rappeler l'attitude de la princesse quand elle vit qu'elle était une fois de plus à la une des journaux. D'ordinaire, cela la mettait hors d'elle. Or, les images du « baiser » ne lui inspirèrent aucune réaction : ni surprise ni colère.

Le 8 août 1997, Diana s'envole pour Sarajevo dans le cadre de sa lutte contre les mines antipersonnel. Elle décolle de Londres à bord d'un jet privé appartenant à George Soros, le célèbre homme d'affaires. Au dernier moment, elle a dû modifier ses plans à la suite d'une révélation gênante : la présidente de la

Croix-Rouge bosniaque n'était autre que l'épouse du criminel de guerre Radovan Karadzic. Néanmoins, elle n'a guère tardé à trouver de nouvelles associations pour l'accueillir sur place : le Landmine Survivors Network et le Norwegian People's Aid.

Aucun hôtel de la région n'ayant été jugé convenable, les membres de la Croix-Rouge sont logés chez l'habitant. Diana, pour sa part, réside chez les Erikson, sur les hauteurs de Tuzla. Elle se présente accompagnée de deux agents de Scotland Yard, de son majordome Paul Burrell et de Lord Deedes, le chroniqueur du *Daily Telegraph*.

M. Erikson travaillait pour le compte du Norwegian People's Aid. Son épouse, Sandra, se souvient que Diana passait le plus clair de son temps au fond du jardin, l'oreille collée à son téléphone portable. Inévitablement, des bribes de conversation lui parvinrent, dont il ressort sans le moindre doute possible que la princesse parlait avec Dodi al-Fayed. Le « baiser » avait fait la une des journaux deux jours après l'arrivée de Diana en Bosnie. La princesse était pourchassée par la presse du monde entier. Pourtant, elle ne se souciait pas le moins du monde de voir sa vie privée étalée dans les médias... Venue en tant que porte-parole d'une cause humanitaire, elle craignait en revanche que l'attention des journalistes ne soit détournée de son action caritative.

Dans l'avion du retour, elle se plongea dans les journaux. Chacun la vit prendre connaissance des réactions de la presse à sa visite à Sarajevo. Aux dires de ses accompagnateurs, elle était indifférente à ce qui aurait pourtant dû lui crever les yeux – la photo du « baiser ».

23

« Eh ! Je ne suis pas à vendre ! »

Le 15 août, Diana part pour des vacances en Grèce en compagnie de Rosa Monckton. Rosa, mariée à Dominic Lawson, éditorialiste du *Sunday Telegraph*, est une personne de confiance. Son grand-père, Walter Monckton, a été le conseiller juridique du roi Édouard VIII, qu'il a notamment aidé à écrire son discours d'abdication.

Les deux femmes avaient dans un premier temps pris des billets sur Olympic Airways mais, deux jours avant le départ, Diana a annoncé à Rosa que Dodi préférait les voir utiliser son jet. À bord de cet avion luxueux, Diana est moqueuse. « Regarde, Rosa, tu ne trouves pas ça horrible ? » demande-t-elle en désignant les sièges du plus beau rose et la moquette verte décorée de têtes de pharaons.

Durant ce séjour, elle va manifester son dédain pour les biens matériels à d'autres reprises. Comme le raconte Rosa dans son livre, elle se met en colère quand Dodi l'appelle pour lui réciter la liste des cadeaux achetés à son intention. « Ce n'est pas ce que je désire, Rosa. Ça me met mal à l'aise. Je ne veux pas être achetée. J'ai tout ce que je souhaite. Je veux seulement quelqu'un près de moi, qui me rassure. »

Selon Roberto Devorik, Diana ne considère pas que l'amour se mesure à la quantité de présents reçus. Pour elle, c'est une affaire d'actes et de sentiments. « Je connaissais Dodi, explique-t-il. C'était le genre d'homme oriental qui aime traiter sa femme avec faste. Mais ça a toujours gêné Diana. »

Dans les souvenirs de Lady Bowker, les réactions de Diana étaient encore plus brusques. Quand Dodi insistait – « Ce diamant est pour toi... Je vais te donner ci et ça... » –, elle lui lançait d'un ton sec : « Eh ! Je ne suis pas à vendre ! »

Diana revient de Grèce le 21 août et repart dans la foulée vers Nice, pour sa seconde croisière sur le *Jonikal*, qui cette fois doit durer au moins dix jours. C'est alors que la rumeur d'un mariage à venir prend corps. Trois éléments alimentent cette thèse : il y aurait eu une demande en bonne et due forme, l'achat d'une bague, et le couple aurait trouvé une maison dans laquelle s'installer. Pourtant, rien n'est prouvé. Seule l'analyse des discussions de Diana durant les dernières semaines de sa vie permet de comprendre ce qu'elle avait en tête.

Toujours accro au téléphone, Diana passe de nombreux appels depuis le *Jonikal*. Si elle cloisonne ses amitiés, il est pourtant clair pour tous ses proches que Dodi n'est rien d'autre qu'une amourette d'été. Même si elle trouve sa compagnie agréable, les conversations qu'elle a avec ses amis à cette époque ne laissent aucun doute : elle n'est pas amoureuse de Dodi et n'a aucune intention de l'épouser.

Diana avait initialement prévu de passer la fin du mois d'août à Milan avec Lana Marks. Lana lui a été présentée par la femme de l'ambassadeur du Brésil à Washington en juin 1996. La styliste, spécialisée dans les sacs à main et les ceintures, l'avait aidée à se sentir plus à l'aise pendant son séjour aux États-Unis. Les deux femmes s'étaient par la suite retrouvées à Kensington Palace en octobre 1996 et étaient devenues proches, s'appelant bientôt deux fois par semaine avant que la fréquence et la durée de chaque appel n'augmentent – allant même jusqu'à trois communications quotidiennes de quarante-cinq minutes chacune.

Lana et Diana avaient souvent évoqué l'idée de passer quelques jours ensemble dans un pays d'Europe. Cet été 1997, Diana s'est finalement arrangée pour dégager un peu de temps dans son planning. Entre le 25 et le 28 août, elle a fait réserver deux chambres au Four Seasons à Milan. Les deux femmes ont prévu d'aller voir un opéra à la Scala puis de passer leur dernière soirée au lac de Côme.

Les billets sont pris, tout est prêt. Mais, le 24 juillet, le père de Lana Marks meurt soudainement d'une attaque et sa fille doit se rendre en Afrique du Sud pour ses funérailles. Elle appelle aussitôt Diana pour la prévenir qu'elle doit annuler leur escapade. Quand la seconde invitation de Dodi tombe, Diana peut non seulement l'accepter, mais aussi prolonger son séjour jusqu'à la fin du mois. Si les vacances avec Lana avaient eu lieu, Diana aurait été de retour auprès de ses fils à Londres le 30 août et n'aurait sans doute jamais mis les pieds à Paris…

Quoi qu'il en soit, Diana reste en contact avec Lana Marks. Elle l'appelle depuis la Côte d'Azur le 23 août, une semaine avant sa mort. La conversation tourne autour de ses relations avec Dodi et la princesse fait part à son amie de ses sentiments. « Elle m'a parlé de son amitié pour Dodi, et m'a confié qu'il aurait été très pénible pour elle de “rester entre les quatre murs de Kensington Palace” cet été-là. Ce furent ses mots exacts.

Quand elle a eu l'occasion de retourner dans le sud de la France, elle a sauté sur l'invitation. » En repensant à leurs conversations, Lana dit encore : « Diana n'était pas amoureuse de Dodi, non ! Elle m'a dit qu'elle passait des moments agréables avec lui. Ils avaient des choses à se dire et elle se sentait bien en sa compagnie, rien de plus. Diana, quand elle permettait que l'on entre dans sa vie, était quelqu'un de très chaleureux. Elle serrait les gens dans ses bras, faisait des câlins. Elle était attentive, douce, sensible. Quand la presse l'a vue prendre Dodi dans ses bras et l'embrasser, ça l'a induite en erreur. Tout ce qu'elle faisait, c'était passer un été agréable en compagnie d'un homme charmant. Mais elle savait que l'été allait se terminer et elle m'a dit qu'elle était impatiente de rentrer à Kensington Palace pour retrouver ses fils. Elle serait alors seule, étudiant la prochaine cause pour laquelle elle allait s'engager, et Dodi ne serait qu'un chapitre clos de sa vie. »

Pendant que la presse du monde entier traque Dodi et Diana en Méditerranée, la princesse n'a pas rompu le contact avec la famille Khan. Ce qui est révélateur. Elle n'a pas abandonné l'espoir d'une réconciliation bien qu'ils aient « rompu » fin juillet. Le professeur Jawad Khan et sa famille sont toujours en vacances à Stratford-upon-Avon et Diana avait un moment songé les y rejoindre après son retour de France, le 31 août. Elle est restée en contact avec eux tout l'été, et avait même proposé à Jawad d'emmener avec elle ses deux plus jeunes fils en juillet. Une offre que Jawad avait déclinée. Diana a l'habitude de parler de ses affaires de cœur avec lui, et plaisante souvent sur ce que la presse dit à son propos. Sur le yacht, ils ont une discussion téléphonique où elle semble vouloir se disculper.

Jawad ne se souvient pas de la date exacte de cet appel, mais il doit se situer une semaine environ avant la mort de la princesse. « Essaies-tu de rendre Hasnat jaloux ? lui demande-t-il à propos du fameux cliché. C'est stupide, ça ne marchera jamais et ça se retournera contre toi ! » Diana esquive en répondant : « Il n'y a rien derrière. Je connais la famille depuis longtemps, c'étaient des amis de mon père. J'ai rencontré Dodi plusieurs fois et il ne s'est rien passé. Nous nous verrons la semaine prochaine pour en parler. »

Malgré les spéculations de la presse sur des fiançailles avec Dodi, Diana veut convaincre la famille Khan qu'il n'en est rien. Elle le répète à Roberto Devorik le 28 juillet, trois jours seulement avant sa mort. « Elle m'a appelé sur mon portable ; elle était près de Portofino. Sa voix était claire, pleine d'entrain. "Je m'amuse beaucoup", m'a-t-elle dit. "Oui, ça se voit. Quelle est cette histoire de baiser en public ? Je te laisse à moitié célibataire et, quand je reviens pour organiser un gala, tu es en pleine romance ! Faut-il que j'appelle Christian Lacroix pour lui commander ta robe de mariée ?" "Ne commence pas, m'a-t-elle répondu (elle avait l'habitude d'attaquer comme ça). Tu es méridional, tu devrais savoir ce qu'est une amourette d'été !" Je connaissais bien Diana, et je sais que si M. al-Fayed m'entendait, il serait désolé… Dodi était certes un garçon charmant, mais Diana n'aurait jamais pris la décision en un mois, ni même en deux ou trois, de se marier. J'en aurais été très surpris, comme tous ceux qui la connaissaient. Très, très surpris… »

Deux jours plus tard, Diana passe un coup de téléphone à Lady Elsa Bowker – le dernier qu'elle recevra de la princesse. Lady Bowker est en train de regarder la télévision d'un œil distrait quand elle voit Diana apparaître à l'écran. Elle est en maillot de bain, des sandales dans une main et son téléphone dans l'autre. Dodi est derrière elle.

Au même moment, le téléphone sonne, ce qui l'irrite car elle ne veut pas être dérangée. Elle répond tout de même.

« Elsa, entend-elle.

— Qui est à l'appareil ?

— Comment peux-tu me demander ça ? C'est Diana ! »

Lady Bowker lui demande quelle est cette drôle de voix. Elle ne l'a pas reconnue tant elle est différente, forte. Diana réplique :

« Elle est forte, parce que je suis une femme solide à présent. Je n'ai plus peur de rien !

— Vas-tu te marier ? demande Lady Bowker, avant d'ajouter en riant : Faudra-t-il te parler arabe dorénavant ? »

Diana éclate de rire à son tour. « Elsa, je reviens, on pourrait se voir jeudi ? [*Diana avait d'abord prévu de revenir plus tôt.*] Je te raconterai tout à ce moment-là. » Pour Lady Bowker, les choses étaient claires : « Je savais que cela signifiait "non, je ne vais pas me marier, certainement pas !". Je suis intimement persuadée que si elle avait eu l'intention de se marier, elle me l'aurait annoncé tout de suite, au téléphone. »

La veille de l'accident, Lady Annabel Goldsmith a eu une conversation téléphonique avec Diana. Elle lui a demandé comment ça allait, et la princesse lui a répondu qu'elle passait de très bons moments, mais que la dernière chose dont elle avait envie était de se marier[1].

On pourrait arguer que Diana ne voulait pas annoncer trop vite à ses amis un mariage désapprouvé par la plupart. Peut-être préférait-elle attendre son retour en

---

1. *Sunday Telegraph*, 15 février 1998.

Angleterre pour diffuser la nouvelle. Mais c'est peu probable. Si elle n'avait pas prévu d'épouser Dodi al-Fayed, comment dès lors ses amis interprètent-ils son attitude estivale ? Pour beaucoup d'entre eux – même ceux qui n'étaient pas au courant du montage de la photo du « baiser » –, il est évident qu'en affichant des signes d'affection envers Dodi elle cherchait à rendre Hasnat jaloux pour le récupérer. Imran Khan explique qu'il aurait été très surpris que des sentiments aussi forts que ceux qu'elle éprouvait pour Hasnat aient pu être oubliés si vite. À peine quelques mois plus tôt, elle avait pris un engagement très fort en allant à Lahore. Et puis elle a passé près de deux ans avec Hasnat, alors qu'elle ne côtoyait Dodi que depuis trente-six jours. Lady Bowker était catégorique : « J'ai l'intime conviction que ce flirt avec Dodi n'avait qu'un but : rendre Hasnat jaloux ! »

Il est évident que Diana n'avait pas abandonné tout espoir de retrouver Hasnat. Elle s'est arrangée pour faire savoir à un membre de la famille qu'il n'y avait rien de sérieux avec Dodi. Dans quel but, si elle avait tiré un trait définitif sur Hasnat ?

Après son arrivée dans le sud de la France à la mi-juillet, les événements se sont enchaînés à une vitesse folle et, pour quelqu'un de fragilisé, il a été facile de se laisser entraîner. Le destin n'a pas offert à Diana la chance de laisser les choses se décanter, ni le temps de réfléchir posément. La seule chose que l'on puisse affirmer sur ces trente-six jours passés avec Dodi, c'est qu'elle en a profité comme ils venaient. Un autre de ses amis proches s'exprime ainsi : « Elle adorait être intégrée à la famille de Dodi de la même façon qu'elle aurait voulu faire partie de celle d'Hasnat. Mais je reste persuadé qu'à la fin des vacances elle serait retournée vers Hasnat, et qu'il lui aurait ouvert ses bras. »

24

Mission de la dernière chance

La partie que Diana jouait cet été-là comporte un élément propre à nous éclairer sur ses intentions et son état d'esprit. Et ce détail ajoute encore au caractère poignant de l'histoire, surtout quand on la considère sous l'angle de sa fin tragique. Ce que l'on ignorait jusqu'à présent, c'est que son plan pour qu'Hasnat revienne était en train de prendre tournure au moment même où elle partageait avec Dodi des instants intimes dans le sud de la France.

Pour comprendre, il faut revenir quelques mois en arrière – fin mai 1997. Diana est au Pakistan. Elle passe deux jours à Lahore chez Jemima et Imran Khan et rencontre la famille d'Hasnat. Elle espérait leur avoir fait une bonne impression. C'est ce qu'elle confia à Imran Kahn, avec qui elle eut un entretien plein de sincérité au cours duquel elle s'ouvrit de ses sentiments profonds et de ses attentes. À l'en croire, Diana n'aspirait alors qu'à une chose : aimer Hasnat et vivre avec lui. « La princesse Diana voulait l'épouser. Elle l'avait décidé une fois pour toutes. *C'était lui.* C'était sa vie à lui qu'elle voulait partager. »

Diana parla aussi à Imran des difficultés qu'elle rencontrait. Hasnat, dit-elle, refusait de se laisser convaincre.

Il affirmait redouter les médias. Il craignait de voir son existence livrée en pâture aux journaux. Il tenait à avoir une vie privée qui fût vraiment *privée.* Diana, à ce point de la discussion, se plaignit de n'avoir personne pour l'aider. Elle souffrait énormément de voir combien Hasnat hésitait à s'engager. Elle avait l'impression d'être dans une impasse.

Ces mots touchèrent Imran. Il eut soudain pitié de la princesse. Elle s'était confiée à lui si librement ! Elle ne lui avait rien caché de l'étendue de son chagrin. Elle était « tellement triste », se souvient-il. Et « si seule » ! Imran, qui n'avait que sa version à elle de la situation, n'arrivait pas à comprendre pourquoi Hasnat se montrait à ce point récalcitrant. C'est la raison pour laquelle il offrit de jouer les intermédiaires. Il fut décidé qu'il irait en personne parler à Hasnat. Il ferait tout ce qui était en son pouvoir pour essayer d'arranger les choses.

Imran Khan se prépara donc à partir pour Londres. Il projetait d'aller rendre visite à Hasnat et d'avoir avec lui une franche discussion d'homme à homme. Il lui livrerait sa propre vision du problème. Et il pourrait s'exprimer en connaissance de cause, puisqu'il avait lui-même épousé une femme venue d'une autre culture. Il savait le genre de difficultés que posaient ces unions. Il se mit à réfléchir aux conseils qu'il convenait de prodiguer à Hasnat. Il était prêt à jouer un rôle utile dans cette affaire. À tout le moins, il ne doutait pas de parvenir à mettre au jour la véritable cause de ce blocage. Pourquoi Hasnat était-il si réticent ? Il devait bien y avoir une raison. Imran en vint à penser qu'Hasnat nourrissait des inquiétudes dont il ne s'était pas ouvert à Diana, dont Diana ne soupçonnait même pas l'existence, mais que lui arriverait sûrement à déceler.

Il se prépara donc à sa mission – une mission de la dernière chance, en quelque sorte. Il était ravi de pouvoir agir au nom de la princesse. Il était confiant aussi. Du dialogue, se disait-il, jaillirait peut-être la lumière. Mais c'est alors que de tragiques nouvelles arrivèrent de Paris au moment où il devait s'envoler pour Londres, se souvient Imran.

25

Son dernier amour

La plupart de ceux qui connaissaient bien Diana pensent que la relation avec Hasnat était infiniment plus sérieuse que n'aurait jamais pu l'être celle avec Dodi. Elle avait consacré beaucoup de temps et investi beaucoup d'elle-même pour connaître la famille du médecin, se faire à l'idée de quitter son pays et s'imprégner d'une culture différente. Imran Khan témoigne de l'amour sincère de Diana et de son profond désir d'épouser Hasnat. Elle avait même fait part au professeur Barnard de son envie de porter ses enfants.

N'ayant pas réussi à le convaincre que la vie commune était possible, elle a pris des décisions spectaculaires en espérant ainsi le faire réagir. Sa stratégie a en partie fonctionné. Même si Hasnat a donné une interview après l'« affaire du baiser », en souhaitant bonne chance au nouveau couple, il est clair qu'il a dû ressentir une grande détresse en découvrant la photo. Son amour pour Diana n'a certainement pas disparu en un clin d'œil... Selon toute probabilité, il avait compris ce que Diana cherchait à faire, il savait qu'elle s'était laissé photographier à dessein, pour lui faire passer un message : « Regarde, je peux m'amuser sans toi... » Un message dont elle espérait qu'il allait lui serrer le cœur et le rendre jaloux. Si Diana était rentrée à Londres plutôt que d'aller à Paris, Imran aurait vu Hasnat et tenté de le convaincre. Dans ce cas, qui sait comment les choses auraient tourné ? L'histoire de Diana et d'Hasnat est une réelle tragédie : malgré la force de leur amour, les circonstances étaient contre eux.

Quatre semaines après leur rupture, le chagrin d'Hasnat lors des funérailles de la princesse était immense.

Si la relation avait repris et qu'ils avaient pu laisser leur amour se développer, les conséquences auraient été bénéfiques pour tout le monde. Le professeur Akbar Ahmed, à une époque ambassadeur du Pakistan à Londres, est persuadé que Diana aurait facilité la compréhension entre la chrétienté et l'islam, en créant un pont entre l'Europe et l'Asie, entre les couleurs et entre les peuples. «Diana était l'exemple même d'une personne destinée à abolir les frontières. Elle avait des qualités uniques qui l'y auraient aidée. Son statut lui donnait une véritable aura et elle alliait à une grande présence physique, la chaleur, la beauté et le charme. Elle n'était ni cynique ni critique et avait suffisamment de convictions pour s'intégrer à différentes cultures. Elle pouvait surmonter toutes les barrières et aller vers les plus pauvres, frappant les esprits comme personne d'autre. Tout cela faisait d'elle un être spirituel, non pas dans le sens strict de la tradition religieuse, mais dans le sens compassionnel.»

L'idée d'entretenir une relation pour la seule raison que le monde entier en espérait de grandes choses n'était pas pour plaire à Hasnat. C'était même le contraire. Diana n'aspirait pas, elle non plus, aux imposantes hauteurs dont certains rêvaient pour elle en cas de mariage avec un musulman. L'Orient l'attirait surtout par ce qu'il pouvait lui apporter dans sa recherche de paix intérieure, d'affection, de stabilité et d'amour. Elle s'était tournée vers l'islam parce que son mode de pensée lui était proche.

Aurait-elle finalement épousé un musulman ? Ses amis ont des avis divers sur la question. Quelques-uns pensent qu'Hasnat était celui qu'il fallait à Diana à cette époque, mais que sa passion pour l'Orient n'était qu'une étape dans sa vie, pas son aboutissement. D'autres estiment qu'elle tentait de convaincre Hasnat simplement parce qu'il lui échappait, mais qu'elle n'aurait jamais épousé un musulman. Pour certains enfin, Hasnat et Diana se seraient retrouvés et seraient restés ensemble. Finalement, nous n'en savons rien.

Une chose, cependant, semble certaine : Hasnat ne pouvait pas supporter l'attention constante de la part des médias dont Diana était l'objet. Diana, de son côté, même si elle avait du mal à supporter cette pression, était très préoccupée par son image. Comment auraitelle supporté de mener une vie retirée en compagnie d'Hasnat ? Cela ne lui aurait pas convenu. Elle avait besoin du miroir que lui tendait la presse pour savoir qui elle était, pour justifier son existence.

Au cours d'une de leurs conversations, Roberto Devorik lui avait demandé : « Penses-tu trouver le bonheur un jour ? » « Peut-être Dieu m'a-t-il confié pour mission de rendre les autres heureux, plutôt que d'être heureuse moi-même... », avait-elle répondu. Diana avait alors trente et un ans. Au moment de sa mort, elle savait rendre les autres heureux et commençait à apprendre le bonheur.

Sa relation avec Hasnat a coïncidé avec la découverte qu'elle pouvait avoir un rôle à jouer sur la scène mondiale, et ne pas être considérée simplement comme une princesse photogénique. Cela l'avait rendue bien plus forte, ses amis l'avaient remarqué. Roberto Devorik et Lady Bowker ont noté, ce dernier été, combien sa voix avait changé. Ses peurs enfantines d'être abandonnée et mal-aimée n'avaient certainement pas totalement disparu, mais elles étaient bien moindres. Diana était sur le point de trouver la paix intérieure…

Lors de son voyage en Bosnie, elle était resplendissante et solide. Aucun secrétaire ni aucune dame de compagnie ne l'accompagnait. Paul Burrell s'occupait de ses cheveux, et elle se maquillait elle-même. Elle portait des jeans et des chemises, apparemment réconciliée avec son apparence. Sa recherche d'amour était passée d'une quête personnelle à une compassion qu'elle voulait partager avec le monde entier. Sa confiance en elle avait progressé, ce qui lui permettait pour la première fois d'envisager l'avenir avec sérénité.

Cette nouvelle maturité s'est reflétée dans sa relation avec le prince Charles, plus détendue. Diana a appris à considérer Charles comme un ami. Quand Sir Laurens van der Post, le mentor de Charles, est mort en 1996, Diana a envoyé à Charles une lettre très touchante, où elle disait qu'elle savait mieux que personne combien il était difficile de perdre quelqu'un d'aussi proche. Plutôt que de lui répondre par courrier, Charles lui a téléphoné personnellement pour la remercier de son attention. Cela a ouvert la voie à un dialogue ininterrompu entre eux, et à une nouvelle chaleur dans leur relation.

Même le ressentiment de Diana envers Camilla s'était atténué. Lady Bowker a rapporté une de ses dernières conversations avec Diana. « C'était la première fois qu'elle me disait quelque chose de vraiment drôle. Elle m'a lancé : “Elsa, sais-tu à quoi j'ai pensé l'autre jour ? C'était l'anniversaire de Camilla et Charles a organisé une réception à Highgrove. Je me suis dit que ce serait une bonne idée de me mettre en maillot de bain et de jaillir d'un gâteau !" Puis elle a ajouté : "Je respecte l'amour qu'elle porte à Charles, parce que maintenant je sais ce qu'est l'amour." J'ignore comment elle le savait, mais je pense que le Dr Hasnat Khan n'y était pas étranger… »

C'est le plus beau cadeau qu'il lui ait jamais fait.

26

Les funérailles

Le matin du 31 août, Hasnat Khan est chez lui, à Londres. Il dort. Le téléphone sonne. Sa mère est la première à se manifester. Elle lui annonce ce qui est arrivé. Hasnat en reste pétrifié. Il ne peut y croire. Les siens, au Pakistan, ont appris la nouvelle avant lui – le soleil, là-bas, se lève plus tôt. Hasnat n'est pas le seul membre de la famille Khan à être accablé par la tragédie. À Lahore, on ne sait comment s'y prendre pour dire à Appa que la princesse est morte. Oncles et tantes tergiversent pendant des heures. Puis vient le moment où la vérité ne peut être cachée plus longtemps. Il faut bien se décider à parler. Selon la famille, « l'enfer s'est alors abattu sur la maison ».

« Pourquoi ? demanda la vieille femme. Pourquoi ce malheur ? »

La question, tel un écho, retentit à la même minute aux quatre coins de la planète, de Calcutta à Sydney et de Paris au Cap. Car la mort de Diana semble impossible à concevoir. Les gens sont choqués au-delà du concevable. Cette tragédie bouleverse leur existence.

Au moment de l'accident, Imran Khan se trouve quelque part au Pakistan, dans une région lointaine où les villages n'ont pas l'électricité, où seule la radio permet d'être en contact avec le reste du monde. Des femmes viennent lui dire qu'un terrible accident a eu lieu. Puis la nouvelle est confirmée : Diana n'est plus. Imran Khan affirme que les villageois se sont réunis spontanément, comme s'ils venaient de perdre un des leurs. Partout se répandit une profonde tristesse.

« Dans le monde islamique, dit-il, la mort n'est pas accueillie comme en Occident. Les musulmans pensent qu'elle résulte de la volonté de Dieu. Donc ils l'acceptent mieux. Pourtant, dans le cas de Diana, ils semblaient frappés de désespoir. Personne ne parlait. La terre avait cessé de tourner. »

À Londres, aux premières heures de la matinée, Lady Bowker reçoit un appel de Roberto Devorik disant qu'un événement tragique s'est produit. Simone Simmons, en se réveillant, allume la télévision. La nouvelle lui parvient alors qu'elle cherche ses lentilles de contact. Elle est littéralement atterrée.

Le peuple laisse éclater sa tristesse jusque dans les rues, et cette explosion de chagrin donne la mesure de l'affection que Diana inspirait aux gens. Londres est une capitale d'ordinaire peu encline à donner libre cours à ses émotions ; ce jour-là, pourtant, la population s'amasse au Mall, et la foule consent à faire plus de six heures de queue pour rendre hommage à la princesse et signer à Saint-James Palace le livre de condoléances.

Le jour des obsèques, dans toute la Grande-Bretagne, les rues demeurent étrangement calmes et silencieuses. Des centaines de milliers de personnes ont renoncé à sortir faire leurs courses pour rester devant la télévision, qui retransmet l'événement. Ceux qui se sont résolus à se rendre à leur travail ne tardent pas à chercher un prétexte pour se mettre en quête d'un petit écran. Chacun a le sentiment d'avoir perdu une amie. C'est une tragédie pour tous.

On assiste à Londres à des scènes d'hystérie quand le cortège funèbre quitte Kensington Palace pour l'abbaye de Westminster.

À Paris, la foule exprime un respect mêlé de culpabilité.

En Bosnie, les victimes des mines antipersonnel sont en larmes.

En Inde, se produit un phénomène tout à fait inhabituel : les rues se vident. Les gens se réfugient chez eux pour pleurer en même temps Lady Di et Mère Teresa, disparue la veille.

L'Australie aussi est en deuil. À la cathédrale Saint-Andrew de Sydney, comme dans toutes les églises du pays, des milliers de fidèles assistent à des offices en mémoire de Diana.

Le monde a perdu une icône. Une figure de proue. Un être auquel chacun pouvait s'identifier. Un mythe, en somme, né de la vie et de la mort d'une femme qui n'aspirait qu'à être aimée.

Quant aux proches de la princesse, ils affrontent une autre sorte de chagrin. Ils ont d'un côté un deuil personnel à accomplir, et de l'autre le sentiment que la terre entière partage leur souffrance. Quand ils prennent place sur leurs sièges numérotés, ce matin-là, à l'abbaye de Westminster, ils sont entourés de deux mille personnes, sans compter la foule amassée dehors, et les millions de spectateurs qui suivent l'enterrement devant leur téléviseur dans le monde entier, dont la famille Khan, à Lahore. Lady Bowker n'a pas trouvé la force de venir dire un dernier adieu à son amie. Elle assiste à la cérémonie depuis son lit, à la maison, en pleurant toutes les larmes de son corps. Simone

Simmons non plus n'a pu venir : elle vit l'événement en compagnie de son amie Ursula.

Mais il est un homme pour qui cette mort est une épreuve bien plus douloureuse encore – cet homme, bien sûr, c'est Hasnat Khan. En ce 6 septembre 1997, tandis que les médias du monde entier braquent leurs objectifs sur les plus grandes célébrités internationales, Hasnat est présent lui aussi à l'abbaye de Westminster – sur un banc parmi la foule, simple quidam, effondré, les yeux cachés derrière les lunette noires que lui avait offertes la princesse. Assise auprès de lui se tient sa tante, Jane Khan. C'est Paul Burrell qui leur a procuré des entrées.

La soprano Lynne Dawson chante le *Requiem* de Verdi, l'air préféré de Diana, et implore le Seigneur d'accorder à la défunte le repos et la lumière éternels. À cet instant, Hasnat Khan baisse la tête. Son malheur, comme son bonheur hier, demeure une affaire privée.

En mai, quand Diana s'était rendue à Lahore dans la famille Khan, de nombreuses photos furent prises. La pellicule fut ensuite envoyée à Hasnat afin qu'il puisse en prendre connaissance. Les photos n'ont jamais été développées. Le rouleau dort encore dans l'un de ses tiroirs…

Épilogue

Depuis la première publication de ce livre, il y a treize ans, de nouvelles informations relatives aux événements de l'été 1997 – le dernier été de Diana – ont été révélées.

Ces informations, dévoilées dans un rapport de l'Opération Paget, proviennent d'Hasnat Khan en personne. L'Opération Paget avait débuté le 6 janvier 2004, quand le coroner britannique Michael Burgess avait ordonné au chef de la police londonienne de l'époque, Sir John Stevens, d'enquêter sur les allégations de Mohamed al-Fayed, selon lesquelles son fils et la princesse de Galles ne seraient pas morts accidentellement, mais auraient été victimes d'un complot et auraient été assassinés à Paris.

La déposition d'Hasnat Khan a été rendue publique le 3 mars 2008. Dans celle-ci, Khan affirme que c'est la princesse de Galles, et non lui, qui a mis fin à leur relation. Cette déposition met en lumière la manière dont Hasnat appréhende les dernières semaines de la vie de la princesse de Galles.

Mi-juillet, tandis que Diana était en vacances à Saint-Tropez dans la villa de la famille al-Fayed, Hasnat dit qu'il n'est jamais parvenu à la joindre. «Je tombais toujours directement sur la messagerie de son portable.

Quand j'ai finalement réussi à lui parler, j'ignorais qu'elle était de retour à Londres pour un ou deux jours, avant de repartir pour Paris. » Avant de poursuivre : « Dès lors que vous connaissez intimement une personne, vous devinez quand quelque chose ne va pas. Et c'est ce que j'ai immédiatement ressenti quand je l'ai enfin eue en ligne. Je lui ai d'ailleurs fait part de mes doutes sur son étrange comportement. Mais elle les a balayés, m'expliquant que, là où elle se trouvait, elle avait eu des problèmes de réception avec son téléphone portable. Je lui ai alors proposé que nous ayons une discussion à son retour. »

C'est ainsi que le couple décide de se voir le 29 juillet à Battersea Park. Hasnat relate qu'au cours de cette rencontre Diana « n'était pas dans son état normal et n'arrêtait pas de regarder son téléphone ». Il dit aussi que l'explication fut orageuse. Il l'accusa d'avoir un autre homme dans sa vie, allant jusqu'à suggérer que cet « autre » pourrait appartenir au clan al-Fayed.

Le majordome de Diana, Paul Burrell, se souvient de cette soirée particulière. Aux enquêteurs, il a déclaré que Diana était extrêmement ébranlée à son retour de Battersea Park. « Elle m'a dit qu'elle avait fait tout ce qu'elle avait pu, qu'elle avait tout essayé, mais qu'il [Hasnat] refusait de devenir un personnage public, qu'il ne voulait pas apparaître sous la lumière des projecteurs. Pour conclure, elle m'a confié qu'ils étaient dans une situation d'échec. »

À la fin de leur rencontre à Battersea Park, Diana et Hasnat ont pourtant prévu de se revoir le lendemain, le mercredi 30 juillet. Rendez-vous fut pris à Kensington Palace. Selon les dires d'Hasnat aux enquêteurs de l'Opération Paget, c'est au cours de ce dernier rendez-vous que Diana lui a annoncé que tout était fini entre eux, tout en lui affirmant de nouveau qu'elle n'avait pas d'autre homme dans sa vie.

Ce fut la dernière fois qu'ils se parlèrent...

Le jour même de la « rupture », Jason Fraser, le photographe des stars, apprend par une indiscrétion que Diana et Dodi vont partir en croisière à bord du *Jonikal.* J'ai toujours – sur la base des nombreuses confidences que m'ont livrées les proches de Diana – défendu l'hypothèse que la princesse de Galles avait en personne orchestré la fameuse photo du « baiser » entre elle et Dodi, dans l'unique but d'envoyer un message fort à Hasnat Khan. Le fait que Fraser ait eu précisément connaissance de ce tuyau le 30 juillet ne fait que renforcer cette hypothèse. Mais pourquoi Diana aurait-elle agi ainsi? Elle avait apparemment mis fin à leur relation, mais ce n'était pas, je pense, parce qu'elle n'aimait plus Hasnat Khan. Plus vraisemblablement, elle se sentait impuissante et enrageait de ne pouvoir parvenir à ses fins. On se souvient des conseils que la famille Khan a donnés à Hasnat au cours de l'été, lui suggérant de passer à autre chose. On sait également qu'Hasnat envisageait de vivre avec Diana à la seule condition de pouvoir continuer d'exercer la chirurgie cardiaque en toute tranquillité, loin de la lumière aveuglante des projecteurs. Diana avait, elle aussi, conscience de tous ces paramètres. Aussi, pour sortir de cette impasse, avait-elle d'autre choix que de prendre cette décision radicale qui pousserait Hasnat à découvrir la vie sans elle? Pour ensuite revenir une dernière fois à la charge dans une tentative désespérée de le faire changer d'avis, et ainsi le reconquérir? Alors, elle décida d'utiliser la presse – après tout, elle avait déjà agi de la sorte par le passé – et d'orchestrer cette série de clichés prétendument volés pour que le monde entier sache qu'elle avait un nouvel homme dans sa vie.

Je suis persuadée qu'elle s'est servie de ces photos pour envoyer ce message à Hasnat : « Regarde-moi, regarde ce que je suis capable de faire. Je n'ai pas peur de m'afficher en public. Je n'ai pas besoin de me cacher. Je suis indépendante. »

La fameuse photo du « baiser » a été prise quatre jours seulement après la « rupture ». Je suis persuadée que Diana a tenté ce coup de poker car elle estimait ne plus rien avoir à perdre. Il fallait qu'elle adresse un électrochoc à Hasnat. Ce fut sa manière de faire. Sa sœur, Lady Sarah McCorquodale, abonde dans mon sens. Aux enquêteurs, elle a déclaré : « Selon moi, Diana a rompu dans l'espoir qu'ils seraient de nouveau ensemble. »

Hasnat a de son côté reconnu qu'il était devenu « fou, fou de douleur » après avoir appris que « Diana fréquentait Dodi ». Le stratagème de Diana pour le rendre jaloux avait sans doute fonctionné. Hasnat a également précisé aux enquêteurs de l'Opération Paget qu'il avait essayé de joindre Diana sur son portable quelques heures avant sa mort. Elle ne saura donc jamais ce qu'il avait l'intention de lui dire. Hasnat Khan n'a pas réussi à l'avoir en ligne – de fait, Diana avait changé de numéro. Allait-il lui annoncer qu'il souhaitait que tout recommence comme avant, que dorénavant tout se passerait bien entre eux? Quoi qu'il en soit, Hasnat n'a jamais exclu la possibilité que Diana et lui puissent se remettre ensemble. « Cela reste une hypothèse à moyen terme, cela dépend de la tournure que prendra sa relation avec Dodi », a-t-il déclaré. Et nous savons, grâce aux confidences que Diana a glissées à ses amies cet été-là, qu'elle considérait son flirt avec Dodi comme une aventure sans lendemain. De son côté, il semble que Diana n'ait jamais abandonné l'espoir d'un avenir commun avec Hasnat. Sarah McCorquodale a livré son impression aux enquêteurs: «Je ne pense pas qu'elle considérait que leur liaison était terminée – ou du moins l'espérait-elle.»

En mai 2006, un peu moins de neuf ans après la mort de Diana, Hasnat Khan a épousé, dans sa ville natale de Jhelum, Hadia Sher Ali, une descendante de la famille royale afghane de dix-huit ans sa cadette. Le mariage arrangé n'était pas fait pour durer. Un peu plus de deux ans après la noce, le couple a divorcé. À ce jour, le Dr Hasnat Khan est toujours célibataire.

Au cours de ces treize dernières années, il a principalement vécu au Royaume-Uni, où il a exercé sa profession de chirurgien. En 2007, alors que l'enquête sur la mort de Diana suivait son cours, il a décidé d'aller vivre quelques années au Pakistan avant de revenir s'installer en Angleterre.

Hasnat et Diana avaient rêvé d'ouvrir ensemble un hôpital. Il est aujourd'hui sur le point de mener à bien ce grand projet qui lui tenait à cœur, leur rêve commun. Âgé de cinquante-quatre ans, Hasnat exerce à l'hôpital universitaire de Basildon, dans l'Essex, mais il a prévu de quitter l'Angleterre pour aller s'installer au Pakistan avant la fin 2013. Là, il deviendra le chef du service chirurgie du tout nouvel institut de cardiologie de Rawalpindi, la troisième ville du pays, située dans la province du Pendjab. Parallèlement, il œuvre à l'ouverture d'une unité cardiaque – l'Abdul Razzaq Medical Trust – dans le village de Badlote, non loin de sa ville de Jhelum, pour prendre en charge les enfants déshérités de la région. Il s'agira de la première fondation privée de ce genre au Pakistan. Lors de récentes interviews, Hasnat a déclaré qu'il était certain que Diana, si elle était toujours en vie, lui aurait apporté son soutien – et ce quelle que soit la nature qu'aurait prise leur relation.

Quand Diana et Hasnat avaient évoqué leur avenir commun au Pakistan, les deux fils de la princesse de Galles – William et Harry – étaient trop jeunes pour que cette dernière accepte l'aventure. Il ne fait en revanche aucun doute pour Hasnat que, si Diana était toujours vivante aujourd'hui, elle n'aurait pas refusé de venir vivre au Pakistan, à son côté. Il va même plus loin en évoquant la famille qu'ils auraient pu y fonder…

Ces derniers temps, chaque fois qu'Hasnat rentrait chez ses parents pour leur rendre visite, une foule de personnes déshéritées se massait devant la maison familiale, dans l'espoir qu'il pourrait s'occuper de leurs enfants malades. Alors oui, j'imagine vraiment Diana à son côté. Mieux, je la vois.

Kate Snell
Juin 2013

Chronologie

1961

1er juillet. Naissance de Diana à Park House, sur le domaine royal de Sandringham, dans le comté de Norfolk.

30 août. Baptême de Diana.

1967

Au cours de l'été, les parents de Diana décident de se séparer.

Septembre. Fin du mariage. C'est Frances, la mère de Diana, qui a la garde des enfants.

Décembre. Le père de Diana annonce aux enfants qu'il les a inscrits dans des écoles locales. Ils resteront donc à Park House.

1969

2 mai. Frances, la mère de Diana, épouse en secondes noces Peter Shand Kydd.

1971

Février. Mary Clarke est recrutée comme nurse auprès de Diana.

1972

La mère de Diana et son mari partent s'installer dans l'île de Seil, sur la côte ouest de l'Écosse.

1978

Septembre. Le comte Spencer, le père de Diana, est victime d'une hémorragie cérébrale.

Novembre. Le comte Spencer est transporté au Royal Brompton Hospital, où Diana rencontre pour la première fois le professeur Jawad Khan.

1981

6 février. Le prince Charles demande la main de Diana dans les jardins du château de Windsor.

29 juillet. Charles et Diana se marient à la cathédrale Saint-Paul.

1982

21 juin. Naissance du prince William.

1984

15 septembre. Naissance du prince Harry.

1986

Juillet. Diana rencontre Dodi al-Fayed lors d'un match de polo.

1990

27 juillet. Le secrétariat privé de Diana demande à la Société royale d'anthropologie des informations sur le Pakistan.

13 septembre. Le professeur Akbar Ahmed donne à Diana un cours sur la culture et la religion islamiques à la Société royale d'anthropologie.

1991

16 septembre. Le professeur Ahmed est invité à venir prendre le thé à Kensington Palace ; il aide Diana à préparer une visite qu'elle doit faire seule au Pakistan.

22 septembre. Début du voyage de cinq jours de la princesse au Pakistan.

26 septembre. Diana visite à Lahore la faculté de médecine King Edward ; elle y rencontre à nouveau le professeur Jawad Khan.

1992

10 février. Le prince Charles et la princesse Diana arrivent en Inde pour une visite officielle de six jours.

11 février. Diana pose devant le Taj Mahal – seule.

12 février. Match de polo à Jaipur. Les photographes immortalisent le geste de Diana se détournant de son époux, et lui refusant un baiser.

À la fin de ce séjour en Inde, Charles part seul pour le Népal. Diana, pendant ce temps, rend visite à Mère Teresa à la congrégation des Missionnaires de la Charité.

29 mars. Le comte Spencer, père de Diana, succombe à une crise cardiaque. Diana est avec Charles aux sports d'hiver en Autriche quand la nouvelle lui parvient.

16 juin. Parution de l'ouvrage d'Andrew Morton, *Diana: Her True Story.*

9 décembre. Charles et Diana conviennent d'une séparation.

1993

Novembre. Oliver Hoare emmène Diana chez Lady Elsa Bowker – que Diana avait rencontrée adolescente.

Décembre. Diana fait la connaissance de Simone Simmons.

1994

Avril. Diana est photographiée en Autriche, sur le balcon d'un chalet, plongée dans la lecture d'un livre du professeur Akbar Ahmed : *Discovering Islam.*

1995

1er septembre. Diana et Hasnat Khan sont présentés l'un à l'autre au Royal Brompton Hospital.

1er au 18 septembre. Diana rend de fréquentes visites à Joseph Toffolo au Royal Brompton, et développe une relation avec Hasnat Khan qui lui sert volontiers de guide dans les services de l'hôpital.

20 novembre. L'émission « Panorama » diffuse l'interview de Diana par Martin Bashir.

30 novembre. Diana est surprise par un photographe de *News of the World* alors qu'elle quitte le Royal Brompton tard dans la nuit.

12 décembre. Le Premier ministre britannique John Major annonce la séparation officielle de Charles et Diana.

18 décembre. Diana reçoit la lettre manuscrite par laquelle la reine la presse de divorcer.

25 décembre. Diana passe Noël seule à Kensington Palace.

1996

20 février. Diana arrive au Pakistan pour une visite de deux jours, à l'invitation d'Imran et Jemima Khan.

21 février. Diana visite le Shaukat Khanum Memorial Cancer Hospital, l'établissement d'Imran Khan. Elle y rencontre un jeune malade de sept ans, Ashraf Mohammed.

23 avril. Diana assiste à une opération à cœur ouvert à l'hôpital Harefield ; l'intervention est filmée par Sky TV.

4 juillet. Les avocats du prince Charles rendent publiques les conditions retenues pour le divorce. Diana porte le costume dessiné par le couturier pakistanais Rizwan Beyg. Elle dîne ce soir-là à l'hôtel Dorchester afin de lever des fonds pour l'hôpital d'Imran Khan.

12 juillet. Adoption définitive des conditions du divorce.

15 juillet. Charles et Diana signent leur *decree nisi* – la décision devient irrévocable. Diana invite Nanny Appa. Omar et Jane viennent prendre le thé à Kensington Palace.

28 août. Finalisation du divorce. Diana informe ses proches de son intention de se remarier, à présent qu'elle est libre de tout attachement envers les Windsor.

13 octobre. Diana s'envole pour Rimini, où elle doit recevoir un prix en récompense de son action humanitaire. Elle se

lie d'amitié avec le célèbre chirurgien cardiaque sud-africain Christiaan Barnard, venu recevoir un prix lui aussi.

31 octobre. Diana se rend à Sydney.

1er novembre. Diana inaugure officiellement le Victor Chang Institute.

3 novembre. Le *Sunday Mirror* annonce en une : « Lady Di : son nouvel amour – comment elle est tombée amoureuse d'Hasnat Khan. »

4 novembre. Article de Richard Kay affirmant dans les colonnes du *Daily Mail* que le papier publié la veille par le *Sunday Mirror* est un « tissu de conneries ».

1997

14 janvier. Diana visite un hôpital angolais où elle rencontre des enfants victimes de mines antipersonnel.

15 janvier. Image célèbre de Diana traversant un champ de mines en Angola.

22 mai. Diana revient au Pakistan. Elle séjourne chez Imran et Jemima Khan. Le même jour, Robin Cook, le ministre britannique des Affaires étrangères, déclare l'embargo sur les mines antipersonnel. Diana, accompagnée de la sœur d'Imran, se rend à Model Town dans la famille d'Hasnat Khan. Elle s'efforce de faire bonne impression sur la mère d'Hasnat. Ce même soir, tard dans la nuit, Imran s'offre de jouer les intermédiaires entre Diana et Hasnat, dans l'espoir d'arranger les choses.

6 juin. Diana est vue dans un night-club en compagnie de Gulu Lalvani, qui l'invite en Thaïlande.

11 juin. Diana accepte l'invitation de Mohamed al-Fayed et va se reposer dans le sud de la France.

21 juin. Diana passe toute la journée à Stratford-upon-Avon, chez Omar et Jane, avec des membres de la famille d'Hasnat Khan, dont Nanny Appa. Elle emmène les enfants au supermarché Tesco, où elle se fait passer pour « Sharon ».

25 juin. À New York, Christie's met aux enchères soixante-dix-neuf robes de Diana, pour plus de deux millions de livres. L'argent est reversé à des œuvres de charité.

1er juillet. Diana a trente-six ans.

11 juillet. Diana passe des vacances avec ses deux fils dans la villa des al-Fayed, à Saint-Tropez.

14 juillet. Lasse de subir la pression des paparazzi, Diana improvise une conférence de presse en mer et déclare : « Vous allez bientôt être surpris. » Ce même jour, Dodi al-Fayed, convoqué par son père, arrive à bord du *Jonikal*.

15 juillet. Assassinat de Gianni Versace, qui était un ami de Diana.

16 juillet. Hasnat écoute les conseils d'un proche qui lui recommande de rompre avec Diana.

18 juillet. Les journaux publient des photos de Diana nageant, plongeant et faisant du ski nautique. Ce même jour, Camilla Parker Bowles fête son cinquantième anniversaire à Highgrove.

19 juillet. Mort de Sir Jimmy Goldsmith, père de Jemima Khan. Pendant ses vacances, Diana appelle Hasnat Khan à son appartement de Chelsea. C'est son oncle qui décroche. Diana le prie de demander à Hasnat de la rappeler.

20 juillet. Retour à Londres de Diana et des princes.

22 juillet. Diana assiste à Milan à la messe de funérailles de Gianni Versace.

24 juillet. Mort du père de Lana Marks ; Lana annule son projet de vacances en août avec Diana.

26 juillet. Diana s'envole pour Paris afin d'arranger rapidement un « rendez-vous » avec Dodi al-Fayed.

27 juillet. Diana est de retour à Londres.

29 juillet. Diana et Hasnat se rencontrent à Battersea Park.

30 juillet. Diana et Hasnat se voient à Kensington Palace. Selon Khan, Diana lui annonce que leur relation est terminée. Jason Fraser est tuyauté sur le projet de Diana et Dodi de partir en croisière à bord du *Jonikal*.

2 août. Le photographe italien Mario Brenna, prévenu par Jason Fraser, attend le bon moment pour prendre des photos de Diana et Dodi.

4 août. Brenna prend la série de photos immortalisant le célèbre « baiser ».

8 août. Diana se rend en Bosnie dans le cadre de sa campagne contre les mines antipersonnel.

10 août. Le *Sunday Mirror* publie la photo du «baiser». On ne parle plus que de la liaison entre Diana et Dodi al-Fayed.

11 août. Diana rentre de Bosnie. Elle ne paraît pas troublée le moins du monde par les images du «baiser» étalées à la une des journaux.

21 août. Diana part pour Nice avec Dodi. Jason Fraser les attend à Saint-Laurent-du-Var, sur le quai, pour les photographier.

23 août. Diana appelle Lana Marks et lui dit sa hâte de rentrer à la maison. Elle ajoute que Dodi appartiendra bientôt à un «chapitre clos de sa vie».

25 août. Diana appelle Jason Fraser et lui demande pourquoi les photos parues la veille avaient autant de grain. Elle appelle également Lady Elsa Bowker. Celle-ci retient de leur conversation que Diana n'a aucune intention d'épouser Dodi.

28 août. Diana appelle Roberto Devorik et lui apprend que sa liaison avec Dodi n'est rien de plus qu'une «amourette d'été».

30 août. Diana parle au téléphone avec Lady Annabel Goldsmith, et lui dit qu'elle a autant besoin de se marier que d'avoir une éruption de boutons sur la figure. Hasnat essaie de joindre Diana au téléphone. Mais cette dernière a changé son numéro de portable.

31 août. À Paris, aux premières heures de la matinée, la voiture de Diana et Dodi s'écrase contre un pilier dans le tunnel du pont de l'Alma. Ils sont tous deux tués dans l'accident.

6 septembre. Obsèques de Diana.

Remerciements

J'ai rencontré Hasnat Khan, mais je dois préciser qu'il n'a pas contribué directement à cet ouvrage. Son rôle dans la vie de Diana m'a été raconté par des proches, confidents du médecin et de sa famille. Ce n'est pas une histoire légère. Je comprends et respecte les réticences du Dr Khan à parler publiquement de ses sentiments pour Diana. Je doute qu'il le fasse jamais, ce qui aurait été le souhait de la princesse de Galles – elle a dit elle-même que c'était une des rares personnes de son entourage à ne pas l'avoir trahie dans la presse. Je ne pense pas que le Dr Khan lira jamais ce livre, car je sais que la mort de Diana l'a terriblement affecté, et il n'aura sans doute pas envie de revivre ces événements. J'espère seulement que les médias et les journalistes continueront de respecter son désir de discrétion, et que ce chirurgien talentueux pourra continuer de sauver des vies en exerçant son métier.

Je voudrais remercier les membres de la famille du Dr Khan au Pakistan, qui connaissaient et appréciaient Diana, d'avoir partagé avec moi leurs souvenirs lors des deux visites que je leur ai rendues, en 1999 et 2000. Ils m'ont aidée à respecter la frontière délicate entre intrusion dans la vie privée et compréhension de certains événements, ceux qui ont profondément marqué la vie de Diana et nous fournissent un éclairage unique sur ses pensées et sentiments.

Je voudrais également remercier tous les autres amis et connaissances de Diana qui ont consacré du temps à me faire part de leurs souvenirs sur la femme, plus que sur la princesse.

Dans la plupart des cas, ils ont passé plusieurs jours à fouiller dans leur mémoire, journaux intimes et coupures de presse, me fournissant des trésors pour m'aider à comprendre qui était Diana. On dit généralement que l'on comprend une personne en rencontrant ses amis. Dans le cas de Diana, on peut se faire une très haute opinion d'elle. Ses amis, si différents soient-ils sur le plan de la personnalité, des origines et des nationalités, sont des personnes rares. Diana compartimentait ses amitiés. En parlant à chacun, je suis parvenue à restituer les pensées qui agitaient la jeune femme durant ses dernières années, particulièrement pendant son dernier été.

Trente-neuf témoins de premier plan ont été interrogés, même si quatorze d'entre eux, parmi ceux qui m'ont apporté les informations les plus cruciales, ont préféré rester anonymes. De nombreux autres ont confirmé des points de détail.

Je tiens à remercier le professeur Akbar Ahmed, Ashfaq Ahmed, Maulana Abdul Qadir Azad, Rizwan Beyg, Lady Elsa Bowker (†), sœur Christie, Mary Clarke, Roberto Devorik, Sandra Erikson, Debbie Frank, Abida Hussain, Aleema Khan, «Nanny» Appa Khan, Imran Khan, le professeur Jawad Khan, Maryam Khan, Salahuddin Khan, Uzma Khan, Sunita Kumar, Lana Marks, Jugnu Mohsin, Simone Simmons, Penny Thornton, Oonagh Toffolo, Mike Whitlam. Merci également à Jonathan Benthall qui m'a fourni de la documentation sur la visite de la princesse de Galles à l'Institut royal d'anthropologie en septembre 1990.

Certains ont prétendu que Diana, à la fin de sa vie, avait «perdu les pédales», qu'elle s'enfonçait toujours plus loin dans une forme de folie. Je ne suis pas d'accord. Je crois qu'il lui restait une longue route à parcourir, mais qu'elle mûrissait sur bien des points. Si elle avait vécu, elle nous aurait étonnés par des actions inattendues et éclatantes.

Crédits photos

Page 1. © Camera Press.

Page 2. En haut : © Fritz Curzon. En bas : Avec l'aimable autorisation du service de presse du gouvernement du Pakistan.

Page 3. En haut : © Rex Features. En bas : © Ananda Bazar Patrika.

Page 4. En haut à gauche : © Rex Features. En haut à droite : Avec l'aimable autorisation de Rizwan Beyg. En bas : Avec l'aimable autorisation du Shaukat Khanum Memorial Hospital.

Page 5. En haut à gauche : © Alpha. En haut à droite : © Nunn Syndication. En bas : © Sky News.

Page 6. Avec l'aimable autorisation de LWT et de la famille Khan.

Page 7. En haut : © Brenna/Fraser. En bas : © Eliot Press/Jason Fraser.

Page 8. À gauche : © Camera Press. En haut à droite : © Rex Features. En bas à droite : © BBC Worldwide.

Table

TROISIÈME PARTIE

LE DOCTEUR

QUATRIÈME PARTIE

LE DERNIER ÉTÉ

Cet ouvrage a été composé
par Atlant'Communication
au Bernard (Vendée)

Impression réalisée par

La Flèche
en septembre 2013
pour le compte des Éditions Archipoche

Imprimé en France
N° d'édition : 272
N° d'impression : 3002418
Dépôt légal : septembre 2013